# Hagakure
*(Oculto nas Folhas)*

**Coordenação editorial**
CRIATIVO EDITORA

**Revisão**
JULIA GARCIA

**Projeto gráfico e capa**
LUMIAR DESIGN

**Coordenação de produção**
EQUIPE EDITORIAL HUNTERBOOKS EDITORA

Impressão e Acabamento
OCEANO INDÚSTRIA GRÁFICA E EDITORA LTDA

Yamamoto Tsunetomo

# Hagakure

(*Oculto nas Folhas*)

*Sobre o Bushido*
*O caminho do Samurai*

Tradução
Dimas da Cruz Oliveira

HUNTER BOOKS EDITORA

Título original:
HAGAKURE



1ª edição – Novembro de 2014

Grafia atualizada segundo o Acordo Ortográfico da Língua Portuguesa de 1990, que entrou em vigor no Brasil em 2009.



Publisher: **Claudio Varela**
Publisher: **Ednaldo Varela (Ado)**

**Dados Internacionais de Catalogação na Publicação (CIP)**
(Elaboração: Aglaé de Lima Fierli, CRB-9/412)

Y18h Yamamoto, Tsunetomo, 1659-1719.
Hagakure: sobre o Bushido: o caminho do samurai / Tsunetomo Yamamoto; tradução de Dimas da Cruz Oliveira com base na edição inglesa - São Paulo: Hunter Books, 2014.
104p.: 13x21 cm.

ISBN: 978-85-65042-42-0

1. Bushido. 2. Samurai - Condutas I. Título. II. Oliveira, Dimas da Cruz, trad.

CDD 170.2

**ÍNDICE PARA CATÁLOGO SISTEMÁTICO**
Bushido : Filosofia Moral: Ética..............170.2
Samurais : Conduta................................ 170.44

IMPRESSO NO BRASIL
*PRINTED IN BRAZIL*

Direitos cedidos de edição à Hunter Books Ltda.
www.hunterbooks.com.br
www.editorahb.com.br
editorial@editorahb.com.br

# SUMÁRIO

# APRESENTAÇÃO

## AS FOLHAS OCULTAS

*Com o shogunato Tokugawa começou uma época de relativa paz no Japão. Esse período também trouxe muitos problemas aos senhores feudais, os encargos de se manter exércitos particulares como no período da Guerra Civil eram proibitivos e milhares de samurais se viram destituídos de seus cargos e começaram a vaguear pelo país vendendo seus serviços ou agindo como bandoleiros. Os que continuaram foram se transformando, de guerreiros para uma classe administrativa. Cerca de cem anos após o início da era Tokugawa, Yamamoto Tsunetomo apresenta uma abordagem para o problema de manter a prontidão militar e uma mentalidade militar adequada num tempo em que isso não possui aplicação muito prática.*

*Seu* Hagakure *( Kyujitai:* 葉隱*; Shinjitai:* 葉隠*; oculto pelas folhas ou folhas ocultas), ou* Hagakure Kikigaki *(*葉隠聞書*) é um guia prático e espiritual para um guerreiro, elaborado a partir de uma coleção de seus comentários.*

*Fortemente influenciado pelo Zen e o Confucionismo, filosofias que prevaleciam no período Edo (1600–1868), o livro registra as visões de Tsunetomo no Bushido (o Caminho do Guerreiro ou Caminho do Samurai), sendo a principal estar preparado para morrer a qualquer momento. A percepção da fragilidade da vida torna o samurai consciente da necessidade de se aprimorar e se doar totalmente a suas tarefas. Para o samurai, a vida é um desafio, e a morte é preferível a uma vida indigna ou impura.*

TSUNETOMO YAMAMOTO

*"Seguir o Bushido é dar ênfase à lealdade, fidelidade, autossacrifício, justiça, modos refinados, humildade, espírito marcial, honra e, acima de tudo, viver e morrer com dignidade".*

Yamamoto Tsunetomo (山本常朝, 1659 - 1719), samurai, monge budista e filósofo japonês. Nascido na província de Hizen, Tsunetomo serviu ao *daimyo* Nabeshima Mitsushige por 30 anos, até a morte dele. Por sua vontade teria realizado o *junshi* (suicídio para companhar o mestre na morte), mas como Mitsushige havia demonstrado em vida que era contrário ao *junshi*, Tsunetomo acatoua vontade do falecido mestre e continuou servindo ao clã Nabeshima.

Devido a desentendimentos com o novo mestre, ele prefere renunciar ao cargo e parte para uma vida de eremita nas montanhas. Por volta de 1709 a 1716, passou muitos de seus pensamentos para Tsuramoto Tashiro que compilou e publicou em 1716 já com o título *Hagakure*. Mas não teve reconhecimento na época, acabando por ficar nas sombras. Após mais de um século esquecido, por volta de 1936, volta a ser publicado.

# HAGAKURE

# A ROTINA

Quando Hota Hagan No Kami Masamori era pajem do *shogun*[1], ele era tão teimoso que este último decidiu submetê-lo à prova. Para tal, fez esquentar a ponto de brasa um par de sandálias e as colocou ao lado de um braseiro. Masamori tinha por costume pegar as sandálias colocadas ao lado do braseiro para ir receber seu senhor. Desta vez, quando tocou as sandálias, percebeu a queimadura em suas mãos; porém agiu como de costume, por isso o *shogun* tirou-lhe as sandálias rapidamente das mãos.

Um dos samurais de Matsudaira Sagami No Kami estava numa pensão em Kyoto para receber dinheiro. Um dia, quando ele estava na entrada vendo os transeuntes, ouviu um deles gritar: "Diz-se que os homens do senhor Matsudaira estão envolvidos num combate". O samurai disse a si mesmo: "É muito lamentável que meus companheiros estejam envolvidos num combate; devem ser os que deveriam

1. *Shogun – forma de governo no Japão dos séculos XII ao XVIII. Durante as invasões mongóis Minamoto no Yoritomo recebe o cargo temporário de Sei-i Taishógun (General-comandante do exército na luta contra os bárbaros) em 1192, com poderes que rivalizavam aos do imperador. Mas ao invés de devolver o cargo, Minamoto passou a governar no lugar do imperador. Não houve a deposição da família imperial, pois formalmente o imperador mantinha todos os seus poderes, mas na prática era um refém. Houver três shogunatos: Kamakura (1992-1333), Ashikaga (1336-1573) e Tokugawa (1603-1868)*

substituir os que estão de serviço em Edo". Ele se informou sobre o local do combate e quando chegou, ofegante, seus companheiros já tinham sido feridos por seus adversários, que estavam a ponto de dar-lhes o golpe de misericórdia.

Acompanhando seu ataque com um grito, ele golpeou os homens e retornou a Kyoto. Esse assunto chegou aos ouvidos do oficial do *shogun*, que mandou chamar o samurai a fim de perguntar-lhe: "O senhor ajudou a seus companheiros, desobedecendo assim ao decreto do Governo; o que é isto?". O samurai respondeu: "Venho da província e me parece difícil entender o que vossa senhoria diz; será que poderia repeti-lo?". O oficial ficou furioso e disse: "O senhor está surdo? Envolveu-se numa briga, derramou sangue e desobedeceu ao decreto governamental, infringindo as leis; sim ou não?". O homem respondeu: "Já tinha compreendido tudo isto. Embora o senhor diga assim, não desobedeci às leis voluntariamente e não tive a intenção de desobedecer ao governo. O motivo disto é que todo ser vivo concede certo valor à vida e assim acontece o mesmo com os seres humanos. De minha parte, dou um grande valor à vida humana; porém ouvi que meus companheiros estavam em perigo, e não é digno do Caminho do samurai ignorar uma situação assim; por isso corri a fim de socorrer meus companheiros. Retornar à minha casa com a vergonha no coração, sabendo que meus amigos tinham sido assassinados, significaria, é claro, um prolongamento da minha vida, porém seria desobedecer ao Caminho. Para seguir o

Caminho, um homem deve sacrificar sua preciosa vida; foi por isso, por respeitar o Caminho, e não por desobedecer ao regulamento, que eu estava lá. Agora lhe peço que ordene minha execução". O oficial ficou impressionado, arquivou o processo e escreveu ao senhor Matsudaira: "O senhor tem a seu serviço um valente samurai; espero que cuide dele como ele merece".

## AS RAÍZES

A árvore genealógica do *daimyo* Soma, denominado Chiken Marokoshi, era a mais elaborada do Japão. Num ano em que sua fazenda se incendiou e estava a ponto de ser destruída; o senhor Soma disse: "Mesmo que casa, móveis e todo o resto fiquem destruídos, não vou lamentar porque são coisas que podem ser substituídas. A única coisa que vou lamentar é minha árvore genealógica, que é o mais precioso tesouro de família". Um samurai se encontrava lá e disse: "Vou entrar na casa e trazê-la". O senhor e os outros se puseram a rir, dizendo: "A casa já foi tomada pelas chamas, como você vai conseguir?". Aquele homem nunca tinha sido muito falante nem tinha sido muito diligente, mas era alguém que ia até o final em tudo que fazia. Ele disse também: "Até agora não fui de muita utilidade para o meu amo, porque não fui muito cuidadoso; porém tenho vivido com a ideia de que um dia a minha vida poderia ser útil, me parece que este momento chegou"; então ele se atirou às chamas. Quando o incêndio foi apagado, o amo ordenou: “Que seu cadáver seja encontrado! Que grande perda!”. Depois de ter buscado por todas as partes, encontraram seu corpo no jardim próximo aos apartamentos; e quando o cadáver foi virado, saiu sangue do seu ventre. O samurai tinha aberto seu ventre e colocado lá o documento, para que permanecesse intacto; a partir desse dia o documento foi chamado de “genealogia do sangue”. No *Kôyô Gunkan*[2], alguém disse: “Quando estou diante do inimigo, sempre tenho a impressão de que penetro nas trevas e por causa disso foi ferido gravemente... entretanto, o senhor que combateu contra tantos homens valentes nunca foi ferido. Como isto é possível?”. O outro respondeu: “Quando enfrento o inimigo é como se eu entrasse nas trevas. Mas em seguida acalmo meu espírito, tudo se torna como uma noite iluminada pela pálida Lua. Se ataco nesse momento, sei que não serei alcançado”. Esta é a situação no momento da verdade.

## TÁTICAS MILITARES

Nas *Notas sobre as Regras Marciais*, está escrito o seguinte: “Ganhar primeiro, combater depois; o que, dito em duas palavras, significa ganhar antes. A riqueza do tempo de paz é permitir a preparação marcial para o tempo de guerra. Com quinhentos aliados, se pode derrotar uma força inimiga de dez mil homens”. Quando alguém planeja tomar o castelo de um inimigo, é necessário retirar-se; é

---

*2. Kôyô Gunkan (*甲陽軍鑑 *- 1616) – registro das façanhas militares do clã Takeda compilados por Kosaka Massanobu.*

preciso recuar, não seguindo a estrada principal, mas as estradas secundárias. Devem-se colocar os mortos e feridos com o rosto voltado para o inimigo. É evidente que o guerreiro tem que estar na vanguarda durante o ataque e na retaguarda durante a retirada. Quando se ataca, não se deve negligenciar a espera de um bom momento; esperando um bom momento, não se deve esquecer o ataque.

Entre os princípios secretos de Yagyu Tajima No Kami Munemori, existe um provérbio: "Não existe tática militar para um homem de grande força moral". Instruído por isso, certo vassalo do *shogun* foi ver o mestre Yagyu e lhe pediu que o aceitasse como discípulo. O mestre Yagyu disse: "Me parece que o senhor já é aluno de uma Escola de Artes Marciais. Diga-me o nome da sua escola antes de dar início às nossas relações de mestre e discípulo". O homem respondeu: "Eu nunca pratiquei uma arte marcial." O mestre disse: "O senhor nunca aprendeu a disciplina da escola Tajima Nokami? Tenho a impressão de que o senhor é um dos mestres do *shogun*", o homem jurou que não. O mestre lhe perguntou então: "O senhor tem algum tipo de convicção profunda?". O homem respondeu: "Desde menino, tomei consciência de que o Bushi é um homem que não deve arrepender-se no decorrer de sua vida. Enterrei esse pensamento em meu coração durante muitos anos e ele se tornou uma convicção. Por isso nunca penso na morte. Não tenho nenhuma outra concepção além desta." O mestre Yagyu ficou muito impressionado e disse:

"Minha intuição não me enganou. O princípio mais profundo da tática marcial é o que o senhor possui. Até agora, dentre centenas de discípulos que eu tive, nenhum alcançou esse princípio. Não é preciso que o senhor se prepare com 'o sabre de madeira' [boken], vou treiná-lo imediatamente." Deu-lhe em seguida um pergaminho. Esta história foi contada por Muragawa Soden. Se você alcançar a glória demasiadamente rápido, as pessoas se tornarão suas inimigas, e você não será de nenhuma utilidade. Se se elevar progressivamente no mundo, as pessoas serão suas aliadas e será feliz. Enfim, quer tenhas sido rápido ou lento, enquanto tiveres adquirido a compreensão dos outros, nada te ameaça. Diz-se que a sorte que é dada por outros é a mais segura.

## OS QUATRO VOTOS

Alguns são capazes de agir com sabedoria quando a ocasião o exige. Outros se encontram obrigados a permanecer acordados por longas horas, tomados de angústia, antes de descobrir a solução correta do pro¬blema. Mas embora essas diferenças inatas sejam em certa medida inevitáveis, cada um pode alcançar dons de sabedoria que ele mesmo não tinha suspeitado, ao adotar os *quatro votos*. Parece que, quaisquer que sejam os dons pessoais, qualquer que seja a dificuldade do problema, aparece uma reflexão suficientemente larga e profunda. Mesmo que alguém fundamente seu raciocínio sobre o "Eu", pode ser muito prudente e astuto, mas não sábio. Os seres humanos são insensatos; é-lhes difícil abandonar seu "eu". Mas, apesar de tudo, um indivíduo confrontado com uma situação complicada tem grandes possibilidades de encontrar uma solução se chegar a separar-se por um momento do problema, concentrando-se sobre os *quatro votos* e abandonando o seu *eu*.

## DECISÕES

Nós temos muito pouca sabedoria; entretanto, temos uma forte tendência a buscá-la a fim de resolver nossas dificuldades. Devido ao fato de que nos preocupamos principalmente conosco, nos desviamos do Caminho do Céu e nossas ações se tornam más. Perante as outras pessoas somos desprezíveis, fracos, limitados e totalmente incapazes. Quando nos sentimos incapazes de alcançar a eficiência, é preferível apelar para alguém mais sábio. Esse alguém, não estando pessoalmente envolvido, talvez possa se revelar como um juiz ilustre – já que não tem interesse próprio, estará em condições de aconselhar a melhor escolha. Se observamos um homem que toma suas decisões dessa maneira notável, sabemos que ele está decidido, é independente, digno de fé e tem os pés na realidade. Sua sabedoria, alimentada pelos conselhos dos demais, pode ser comparada às raízes de uma grande árvore, de folhagem densa, espessa. Existem limites para a sabedoria do ser humano, fraco arbusto sacudido pelo vento.

## A CRÍTICA AOS OUTROS

Repreender e corrigir alguém por seus erros é importante; esse ato, essencialmente de caridade, é a primeira obrigação do samurai; porém, é preciso esforçar-se a fim de fazê-lo da maneira adequada. Porque de fato é fácil encontrar qualidades e defeitos na conduta do próximo; também é muito fácil criticá-lo. A maioria das pessoas pensa que é por gentileza que elas dizem às outras pessoas aquilo que essas pessoas não querem ouvir; e se alguma vez suas críticas são mal recebidas, pensam que aquelas pessoas são incuráveis. Esse modo de pensar não é razoável: ele dá tão maus resultados quanto os de colocar alguém numa situação embaraçosa ou então sermos insultados por alguém; muitas vezes isso é apenas um modo de retirar o que nos pesa no coração.

A crítica só deve ocorrer depois de se ter discernido se a pessoa é capaz de aceitá-la ou não; depois que nos fizemos amigos dela, compartilhamos seus interesses e nos comportamos de tal modo que lhe inspiramos inteira confiança em nossas palavras; o tato deve estar presente, portanto. É preciso reconhecer o momento certo e a maneira certa de fazer a crítica – por carta ou ao retornar de uma reunião especialmente agradável. É preciso começar comentando suas próprias falhas e logo em seguida levar seu interlocutor a compreender, pronunciando apenas as palavras necessárias. É preciso elogiar os méritos do interlocutor, esforçar-se para deixá-lo animado e bem-humorado, torná-lo tão receptivo às observações quanto um homem com sede deseja água: é esse momento para corrigir seus erros. A crítica construtiva é delicada; eu sei por experiência que costumes maus e antigos não se afastam senão à força. Parece-me que a atitude mais verdadeiramente caridosa consiste, para todos os samurais a serviço de um mesmo *daimyo**, em ser benevolentes e amistosos uns com os outros; corrigir reciprocamente seus erros a fim de servir logo ao senhor. Quando se coloca alguém voluntariamente numa situação embaraçosa, não se faz nada de construtivo: como poderia ser de outro modo?

## PREVISÃO

A linguagem militar emprega os termos de "samurai sábio" e de "samurai ignorante". Um samurai que esperou ter que enfrentar situações difíceis para aprender a sair delas não é sábio. Um samurai que se preocupa adiantadamente com todas as situações e soluções possíveis é possui grande sabedoria; ele será, portanto, capaz de fazer frente de maneira brilhante a todas as dificuldades, quando a ocasião se apresentar. Não importa o que ocorra, um samurai ilustrado é aquele que se preocupa com todos os detalhes da ação, antes da hora. Um samurai imprudente, ao contrário, nos dá a penosa impressão de arrastar-se em meio a uma grande confusão e seu êxito só provém de uma sorte extraordinária. Somente um samurai negligente não considera todas as eventualidades antes do momento da ação. Não compartilho a opinião dos que defendem uma autoridade severa e constante.

Como diz o provérbio: "O peixe não vive na água clara". São as algas que lhe permitem desenvolver-se plenamente até sua maturidade: é quando um homem vai além dos detalhes e não se preocupa com as queixas menores que ele é capaz de proporcionar serenidade aos que nos servem. A compreensão desse princípio é essencial para quem quer compreender o caráter e o comportamento dos demais. Quando o senhor Mitsushige era apenas um menino, pediram-lhe para ler uma passagem de um livro do monge Kaion: ele chamou os outros meninos e os acólitos para dizer-lhes: "Peço-lhes para aproximar-se e escutar. É muito difícil ler quando não há quase ninguém para escutar". O monge ficou impressionado e disse aos fiéis: "É com este espírito que é preciso fazer todas as coisas".

# COMO DEVE SER O SAMURAI

Tenho a impressão de que os jovens samurais de hoje em dia colocaram para si mesmos objetivos lamentavelmente baixos; eles têm o olhar furtivo dos ladrões. A maioria busca somente seu interesse pessoal ou busca exibir sua inteligência; aliás, os que parecem ter a alma serena só mostram uma fachada. Essa atitude não é conveniente. Um samurai só é verdadeiramente samurai na medida em que não tem outro desejo senão o de morrer rapidamente – e de tornar-se puro espírito – oferecendo sua vida a seu amo, na medida em que sua preocupação constante é o bem-estar de seu *daimyo*, a quem ele dá constantemente satisfação da maneira que ele resolve os problemas, a fim de consolidar as estruturas do domínio; assim, o *daimyo* e seus servidores devem estar determinados do mesmo modo: é indispensável que ninguém, nem mesmo os deuses e os Budas, possam fazê-los desviar-se da meta fixada.

## A PERDA DA VIRILIDADE

Eis aqui o que dizia um de meus amigos; parece que um tal dr. Kyon afirma o seguinte: "Em medicina se distingue os homens das mulheres em virtude dos princípios do Yin e do Yang: em consequência disso, os tratamentos médicos são fundamentalmente diferentes; além disso, seu pulso também é diferente. Entretanto, no decorrer dos últimos cinquenta anos, o pulso dos homens se tornou idêntico ao das mulheres. Desde que me fixei nesse fenômeno, considerei por bem tratar as enfermidades dos olhos dos homens pelos meios apropriados ao pulso das mulheres; porque, quando tenho a intenção de aplicar nos meus pacientes homens os cuidados previstos para eles, não alcanço nenhum resultado". De fato, o mundo está se degenerando, os homens perdem sua virilidade e se parecem cada vez mais com as mulheres: esta é uma convicção inabalável que eu adquiri no curso de uma experiência pessoal e que resolvi não divulgar. Desde então, não esquecendo nunca essa reflexão, quando vejo os homens de hoje em dia digo a mim mesmo: "Olha, olha, eis aqui um pulso feminino". Já não encontro praticamente nunca o que se chama um homem verdadeiro. Devido a isso, é possível hoje em dia ser considerado excelente e chegar a uma posição importante com um mínimo de esforço. Os homens se tornam covardes e fracos, a prova disso está no fato de que, hoje em dia, são raros os que possuem a experiência de ter cortado a cabeça de um criminoso com as mãos atadas às costas. Quando alguém lhes pede para prestar assistência a quem vai suicidar-se ritualmente, a maioria considera que é mais fácil escapar, e faz uso de desculpas mais ou menos válidas. Há quarenta ou cinquenta anos, uma ferida recebida em combate era considerada como um sinal de virilidade. Uma musculatura sem cicatrizes era um sinal tão destacado de falta de experiência que ninguém se atreveria a mostrá-la assim, sem mais nem menos, preferindo causar a si mesmo um ferimento voluntário; esperava-se dos homens que tivessem o sangue ardente e fossem impetuosos. Hoje em dia a impetuosidade é considerada como um sinal de grosseria. Os homens de hoje em dia utilizam a impetuosidade de sua língua a fim de fugir às suas responsabilidades e não fazer nunca nenhum esforço; eu gostaria que os jovens refletissem seriamente sobre esta situação atual.

### *MUSHIN*

O monge Tannen tinha costume de dizer: "A gente acabou por não entender nada, porque os sacerdotes só ensinam a doutrina *Mushin*. O que se chama *Mushin* é um espírito sem mancha e sem complicação; isto é interessante". Quanto ao Caminho do Samurai, o senhor Sanenori dizia: "No seio de um espírito no qual a perversidade não encontra seu lugar, aí está o Caminho". Se isso for verdade, o Caminho é um só; mas ninguém pode compreender isso na primeira tentativa: não se consegue a pureza sem esforço". O caráter chinês "gen" pode ser lido em japonês "maboroshi", e significa "ilusão". Em japonês os magos hindus são Gen Shu Sushi ou "ilusionistas"; os seres humanos são marionetes aqui embaixo. É por isso que se utiliza o caráter gen a fim de sugerir a ilusão do livre-arbítrio. Abominar o mal e conduzir sua vida com retidão se torna extremamente difícil. Isso é muito surpreendente, porém muitos erros começaram com a crença de que é essencial ser estritamente lógico e colocar a retidão acima de tudo. Existe um caminho mais elevado que a retidão, porém seu descobrimento não é uma coisa fácil, e impõe uma profunda sabedoria. Comparados com esse caminho, os caminhos lógicos são de fato insignificantes; porque mesmo para aquele que não tenha a experiência desse caminho ou não o conheça, existe uma maneira de descobrir a verdade, mesmo quando alguém não é capaz de distinguir esse caminho sozinho. Esse caminho consiste em conversar com os outros. Acontece com frequência que uma pessoa, mesmo imperfeita, pode dar conselhos ajuizados a outra, porque ela pode dominar a situação exterior, assim como aquele que, no jogo de Go, tem "a vantagem de ser espectador". Diz-se que é igualmente possível a alguém distinguir suas próprias faltas "pelo olhar em si mesmo" e pela meditação, mas também nesse caso o resultado é igualmente melhor quando se conversa com os outros. A razão disso é que se pode superar sua própria capacidade de discernimento quando se aprende a ouvir os outros e a ler livros com proveito. A gente sempre se enriquece com a sabedoria dos antigos.

## TREINAMENTO

Disseram-me que um mestre de sabre, já velho, disse assim: "O samurai deve treinar a vida inteira"; e para isso ele tinha uma razão. A princípio, inclusive no caso de prática regular, não se tem a sensação de progredir; a pessoa se reconhece pouco hábil e vê os demais de acordo com a sua própria imagem. Nesse estágio é inútil insistir que não se é de nenhuma utilidade no serviço do *daimyo*. Quando se alcança um estágio mediano, não se pode dizer, realmente, que alguém seja de grande utilidade, porém se pode tomar consciência das próprias deficiências e começar a notar as imperfeições dos outros. Quando um guerreiro alcança um nível superior, ele é capaz de tomar, por sua própria iniciativa, decisões em qualquer situação, de tal maneira que já não necessita dos conselhos dos outros. Um samurai é, podemos dizer, útil ao *daimyo*. Logo, por cima desse nível, estão os que jamais exibem sua habilidade, que fingem ignorância e incompetência. E o que é mais importante: respeitam a habilidade dos outros; para muitos, esta é a ambição mais alta. Porém, num nível ainda mais elevado, existe um domínio que supera a habilidade dos mortais comuns. O que se compromete a fundo no Caminho deste campo toma consciência de que seu treinamento será ilimitado e que não poderá jamais estar satisfeito com seu trabalho. Por isso um guerreiro deve conhecer suas fraquezas e passar sua vida corrigindo-as, sem jamais ter o sentimento de já ter feito o suficiente. Ele não deve, naturalmente, ter confiança exagerada, porém tampouco sentir-se inferior. Yagiu, o mestre do Caminho do sabre, que ensinava o *shogun* Tokugawa, dizia: "Eu não sei como superar os outros; tudo o que sei é como me superar a mim mesmo". Ele dizia: "Hoje, eu sou melhor que ontem, amanhã serei ainda melhor". Um verdadeiro samurai consagra todo seu tempo ao aperfeiçoamento de si mesmo; é por isso que o treinamento é um processo sem fim. Entre as proclamações públicas que fez o senhor Naoshige, se encontra a seguinte: "As decisões importantes devem ser tomadas com calma". Ittei Ishida (sábio confucionista do *han* Sagan e mestre Jocho Yamamoto) explica: "Os assuntos menores devem ser estudados com seriedade". Existem poucos problemas realmente importantes; quase não se apresentam mais de dois ou três no decorrer de toda uma existência. Uma reflexão cotidiana vai solucioná-los. Por isso é indispensável prever o que convém fazer em caso de crise: quando ela se manifestar, é preciso chegar a um acordo quanto à solução, a fim de resolver aquela crise de acordo com isso. Sem uma preparação diária, quando sobrevier uma crise delicada, não se pode ser capaz de tomar uma decisão rápida; o que pode ocasionar consequências desastrosas". Então não é possível dizer que, para poder tomar com calma decisões importantes, é preciso preparar-se a cada dia com determinação? No curso de uma reunião cuja meta era examinar a possibilidade de conceder uma promoção a certa pessoa, se teve notícia de que a mesma pessoa, anteriormente, era muito dada à bebida; portanto, os participantes estavam muito propensos a negar-lhe sua confiança antecipada. Apesar disso, um deles interveio: "Não promover um homem porque ele cometeu apenas um erro, é impedir que ele melhore. Quando um homem, que fraquejou uma vez, mostra, por uma conduta irrepreensível e conforme as regras, que ele lamenta sinceramente o seu erro, ele será muito útil ao seu senhor. Sendo assim, animai-o". Então, um dos presentes disse: "O senhor assume a responsabilidade de tal decisão?" Depois que ele deu sua garantia, a assistência lhe rogou que apresentasse suas razões; ele deu esta resposta: "Dou-lhe minha garantia porque ele se enganou uma vez; não se pode conceber confiança dada a alguém que jamais cometeu erros". Foi desse modo que o interessado conseguiu sua promoção.

Um dia, um homem caiu em desgraça porque não se vingou. A única maneira de vingar-se era lançar-se sobre o acampamento inimigo e combater até a morte. Um guerreiro que se lança desesperadamente ao combate não pode cair em desgraça; é porque esperamos a vitória que ela nos escapa. O tempo corre quando alguém espera que o inimigo não seja tão numeroso, para não estar em desvantagem. De tanto esperar, aliás, pode ser que alguém esqueça a injúria e abandone a vingança. Mas, quando os inimigos são numerosos, se alguém se agarra ao terreno com o propósito de dizimar todos, a batalha será rapidamente decidida; o curso da ação transcorrerá provavelmente de boa maneira. Aliás, quando os quarenta e sete *ronin* do clã Asano, atacaram Kira à noite, para vingar a morte de seu amo, já tinham fracassado em sua investida; eles deveriam ter se suicidado imediatamente, seguindo o ritual Sengakuji; eles perderam tempo a fim de vingar a morte de seu senhor; porque Kira poderia ter caído mortalmente enfermo antes que tivessem executado seu plano. Nesse caso teriam perdido irremediavelmente a ocasião. De um modo geral eu não critico o comportamento dos outros; mas, visto que estudamos o Caminho do Samurai, devo acrescentar isto: se não se consideram com cuidado e previsão todas as eventualidades, quando o acontecimento sobrevém e não estamos em condição de responder adequadamente, seremos desonrados. Ouvir esses conselhos e tentar compreender a essência das coisas constitui um preparativo para tomar decisões antes que a crise chegue. O Caminho do Samurai exige entre outras coisas, que se esteja sempre disposto a se submeter à prova a firmeza de sua resolução. Noite e dia, o samurai deve dividir seus pensamentos em seções, preparar uma linha de ação. Segundo as circunstâncias, ele pode ganhar ou perder; mas evitar a desonra é um fato distinto da vitória ou da derrota: para evitar a desonra talvez lhe seja necessário morrer. Porém se, desde o princípio, as coisas não evoluem como estava previsto, ele deveria tentar de novo; para isso não é necessária nenhuma habilidade nem sabedoria particular. O samurai valente não pensa em termos de vitória ou derrota: combate fanaticamente, até a morte; apenas assim ele realiza seu destino. Não é bom ter fortes convicções pessoais. Se, ao perserverar e concentrar-se, um samurai adquirir opiniões muito fortes, ele poderá ser tentado a pensar com precipitação que já alcançou um bom nível de realização; isto deve ser formalmente desaconselhado. Um samurai deve, por assiduidade, chegar primeiramente ao domínio absoluto dos princípios básicos, de maneira que sua técnica chegue à maturidade. Um samurai não deve jamais relaxar seu esforço, mas deve durante toda a sua vida perseverar no treinamento. Pensar que alguém pode relaxar a disciplina do treinamento simplesmente porque fez alguma descoberta pessoal é o cúmulo da loucura. Um samurai deve estar constantemente animado pelo seguinte pensamento: "Neste ou naquele ponto ainda estou muito distante da perfeição", e consagrar toda a sua vida cada vez mais à perfeição, buscando assiduamente o caminho verdadeiro; é por meio de uma prática assim que se pode encontrar o Caminho. Há menos de cinquenta ou sessenta anos, os samurais faziam suas abluções todas as manhãs, enfeitavam a cabeça e se perfumavam; depois cortavam as unhas das mãos e dos pés, poliam-nas com pedra pome e depois com erva *kogane*. Não mostravam jamais sinal algum de preguiça quando se tratava disso, e se cuidavam com atenção. Depois o guerreiro inspecionava seu sabre longo e o curto a fim de verificar que eles não estavam se estragando pela ferrugem: tirava-lhes a poeira, e os limpava para cuidar de seu brilho. Tomar tanto cuidado com sua aparência pode parecer uma manifestação de vaidade, porém esse costume não provinha de uma inclinação para a elegância ou o romanesco. Alguém pode ser chamado a qualquer momento para combater uma dura batalha: se ele morre tendo descuidado da sua aparência, ele dá provas de um relaxo geral dos bons costumes, e se expõe ao desprezo e ao descuido do adversário. Essa é a razão pela qual os velhos e jovens samurais tomaram sempre um grande cuidado com a sua apresentação. Esse escrúpulo pode parecer uma perda de tempo e uma ocupação muito superficial, porém faz parte da vida do guerreiro; na realidade, isso requer menos esforço e tempo do que parece. Se quiser estar disposto a morrer, um samurai deverá considerar-se já morto; se ele é diligente em seu serviço e se aperfeiçoa nas artes militares, não se cobrirá jamais de vergonha. Mas se ele se dedica de maneira egoísta a fazer o que lhe agrada, em caso de crise ficará desonrado; aliás, não será jamais consciente de sua desonra. Se nada lhe importa, exceto o fato de não estar em perigo e de sentir-se feliz, então ele se descuidará de uma maneira completamente lamentável. É certeza que um samurai que não está preparado para morrer, morrerá de uma morte pouco honrosa. Em compensação, se ele consagra sua vida ao preparo de sua morte, como poderia ter um comportamento desprezível? É preciso refletir seriamente a respeito e fazer sua conduta concordar com isso. Os tempos mudaram muito no decorrer dos últimos trinta anos. Nos nossos dias, quando os jovens samurais se reúnem, eles falam de dinheiro, de lucro, de perdas, do modo de administrar sua casa, dos critérios para julgar o valor da vestimenta, e trocam opiniões profanas entre si. Se outro tema é evocado, o ambiente se estraga e cada um se sente vagamente desgostoso. A que estado lamentável nós chegamos! Antigamente, até a idade de vinte ou trinta anos, um homem jovem não tinha nenhum pensamento para coisas materiais ou indelicadas, portanto não falava delas jamais. Se, por acidente, em sua presença, os homens de idade madura deixavam escapar de seus lábios alguma reflexão inadequada, eles se sentiam tão afetados como se tivessem sofrido alguma ferida física. A nova tendência se instalou porque os tempos modernos apreciam ao máximo o luxo e a ostentação. Somente o dinheiro importa. É claro que se os homens jovens não tivessem esses gostos de luxo incompatíveis com sua situação, essa atitude errônea desapareceria. Por outro lado, elogiar como ricos em recursos jovens econômicos e parcimoniosos, é completamente desprezível. A frugalidade equivale à ausência de sentido do giri ou obrigações sociais e pessoais. Preciso acrescentar que um samurai que se esquece de suas obrigações para com os outros é desprezível, covarde e indigno?

## CALIGRAFIA

Quando me dirigi a Yasaburo para pegar um exemplo de sua arte caligráfica, ele me disse: "Acredito que se deveria escrever em caracteres grandes, como se com um só deles devesse cobrir a folha inteira; e com bastante vigor, como se fosse para rasgá-la". A habilidade na caligrafia depende do espírito e da energia com que ela é executada. O samurai deve agir sem duvidar, sem confessar o menor cansaço nem o menor desânimo, até completar sua tarefa; isso é tudo". E continuou escrevendo. Segundo o sábio confucionista Ittei Ishida, todo calígrafo, inclusive o medíocre, pode aprender a escrever de uma maneira correta se seguir cuidadosamente as linhas de um caderno. Pode-se dizer a mesma coisa do serviço de um guerreiro; se um bom samurai for tomado como modelo, o êxito é provável. Infelizmente, no momento presente, não há nenhum samurai que mereça de fato ser imitado, de tal modo que é preciso criar um modelo ideal para ser seguido. A fim de criar um tal modelo é preciso imaginar qual dos samurais que estão em volta de nós sabe como adaptar-se ao protocolo, à correção e às conveniências; qual demonstra a maior valentia; qual é o mais eloquente; qual é aquele cujo comportamento é o mais irrepreensível; qual é o mais íntegro; qual possui o maior espírito de decisão em caso de crise. A partir de todos esses elementos, é necessário imaginar um ser reunindo todas essas qualidades. A síntese constituirá um excelente modelo, digno de ser imitado. É certo que em toda arte é muito difícil aprender os pontos fortes do mestre, mas em compensação seus pontos fracos são facilmente imitados. Estes pontos não são, portanto, de nenhuma utilidade para seus discípulos. Por exemplo, alguns conhecem perfeitamente a etiqueta, porém não são íntegros; quando alguém pensa em tomar por modelo uma pessoa assim, sempre tem tendência a se descuidar da etiqueta e a imitar somente a falta de integridade. Quando alguém aprende a imitar os pontos fortes dos demais, esse alguém pode tornar-se um mestre em público. Se ele é negligente quando está num período de descanso, o público só vai percebê-lo sob este aspecto.

IMPOR

Retirar-se silenciosamente quando o amo fala sobre alguém, em termos bons ou maus, indica perplexidade. É preciso poder dar uma resposta apropriada e estar previamente decidido. Quando vos encarregarem de uma certa função, a alegria ou o orgulho que sentirdes se refletirá em vosso rosto, e isso é algo inadequado. Alguns, conscientes de suas falhas, pensam: "Sou infame, porém devo cumprir minha missão, custe o que custar. Como vou cumpri-la? Isto pode causar-me muitos motivos de ansiedade". Embora estas palavras não sejam pronunciadas jamais, elas vão refletir-se claramente em vosso rosto. Isto é uma prova de modéstia. É por inconstância e leviandade que nos afastamos do Caminho e nos comportamos como principiantes. Então nos tornamos fonte de incômodos. No ano passado, durante uma reunião, um homem expôs seu ponto de vista e afirmou que estava disposto a matar o presidente da reunião se sua opinião não fosse aceita; sua opinião foi aceita. Quando todos os procedimentos terminaram, ele disse: "Vocês deram seu consentimento muito rapidamente. Eu acho que são fracos e indignos de ser os conselheiros de seu amo". Quando uma reunião social é muito séria e alguém introduz, de maneira leviana, temas diferentes, os participantes manifestam seu despeito e se aborrecem; isto não é bom. Nesses momentos, a etiqueta do samurai consiste em permanecer calmo e tratar a pessoa com benevolência. Maltratar alguém é uma conduta digna de um lacaio. Existem momentos em que temos realmente necessidade dos outros; mas se isso acontece com frequência, então podemos ser considerados como importunos e aborrecidos. Para certas coisas, é preferível não precisar contar com os outros.

## O DRAGÃO

Havia um homem na China que gostava muito de imagens representando dragões.Todos os seus móveis e roupas estavam decorados com esse emblema. O deus dos dragões percebeu esse amor profundo, de tal modo que um dia um dragão verdadeiro se apresentou ao homem em sua janela: diz-se que o homem morreu de susto... Ele era com certeza um charlatão, o que se revelou justo no momento da ação.

## CONCENTRAÇÃO

No momento de sua morte, um mestre na arte da lança chamou seu melhor discípulo e lhe declarou: "Eu te transmiti todas as técnicas secretas de nossa escola. Se você pensa em aceitar agora um discípulo, você deve praticar, então, com diligência, a cada dia, com o sabre de madeira; a superioridade não é uma questão de técnicas secretas." Do mesmo modo, no ensinamento de um mestre de Renga, se diz que, na véspera de um concurso de poesia, é preciso acalmar o espírito e consultar uma antologia de poesias. É necessário saber concentrar-se numa só coisa. Todos os ofícios devem ser exercidos com concentração.

## ANIMAR UM AMIGO

Quando se visita um samurai golpeado pela desgraça, aquilo que se diz a fim de deixá-lo animado é da maior importância. De fato, ele é capaz de distinguir através das nossas palavras os verdadeiros motivos que impulsionam seu interlocutor. Para animar um amigo em dificuldades o segredo a ser revelado é o seguinte: um verdadeiro samurai não deve ostentar-se nem perder a confiança. Deve sempre ir adiante, caso contrário não avançará e será totalmente inútil.

## AS PALAVRAS

Diz-se que, quando alguém cometeu um erro, não deve jamais hesitar em corrigir-se; a falta desaparece rapidamente quando alguém se corrige sem demora. Quando se tem a intenção de remediar um erro, ele se torna deslocado e espinhoso. Quando se diz algo que não deveria ser dito, se a pessoa faz uma autocrítica rápida e clara, aquele erro é logo esquecido e já não há necessidade de preocupar-se. Mas se alguém os censura, é preciso saber responder: "Eu lhes expliquei os motivos de meus propósitos inconsiderados; se não aceitais essa explicação, não vejo mais o que fazer. Visto que eu disse isso sem querer, isso deverá passar como se ninguém o tivesse ouvido. Ninguém pode escapar a uma reprimenda". Morooka Ikoemon foi chamado um dia para confirmar a verdade de suas palavras a respeito de um assunto. Mas ele respondeu: "A palavra de um samurai é mais firme que o metal. Visto que estou impregnado desse princípio, que mais podem aportar os deuses e os budas? O juramento foi anulado. Essa história ocorreu quando ele tinha vinte e seis anos.

## A ATITUDE DURANTE A TORMENTA

Existe o que se chama a atitude durante a tormenta. Quando alguém é surpreendido por uma tempestade repentina, ele pode correr o mais depressa possível ou então colocar-se rapidamente sob as telhas das casas que estão à beira do caminho; de qualquer modo vai molhar-se bastante. Se ele já estivesse preparado mentalmente para se molhar, não ficaria afinal nem um pouco contrariado com a chuva. Esse princípio pode ser aplicado com proveito a todas as situações.

## GANHAR DESDE O PRINCÍPIO

Já ancião, Tetsuzan fez a seguinte reflexão: "Eu tinha tendência para pensar que o combate apenas com as mãos diferia do Sumô, devido ao fato de que não tinha importância ser atirado ao chão no começo, já que o essencial era ganhar o combate. Recentemente mudei meu ponto de vista. Ocorreu-me que, se um juiz tomava a decisão de parar o combate no momento em que um dos combatentes se encontrasse no chão, ele o declararia vencido. É preciso ganhar desde o princípio, para sair vitorioso sempre.

## MEDE-SE A AMIZADE NA ADVERSIDADE

Foi dito: "Se queres sondar o coração de um amigo, caia doente". Uma pessoa que você considera amiga quando tudo está bem e que lhe dá as costas, como a um estranho em caso de enfermidade ou de infelicidade, não passa de um covarde. É muito mais correto, quando um amigo tem que encarar a infelicidade, estar próximo dele, visitá-lo e socorrê-lo. Um samurai não deve jamais, enquanto viver, permitir-se distanciar-se daqueles aos quais deve espiritualmente. Eis aqui, portanto, um meio para medir os verdadeiros sentimentos de um homem. A maior parte do tempo nós nos dirigimos aos demais para pedir-lhes ajud; e quando a crise passa, logo os esquecemos.

Certo dia, alguém fez o seguinte comentário: "Geralmente se pensa que nada é mais difícil que ser *ronin*, que quando esse destino golpeia um homem, a confiança nele desaparece e ele é abandonado. Na verdade, ser *ronin* é algo muito diferente do que eu tinha imaginado e é uma condição menos desagradável do que parece. Eu gostaria de me tornar um *ronin*." Concordo com essa opinião. A mesma atitude pode prevalecer no que se refere à morte. Se um samurai se acostuma, dia a dia, à ideia da morte, ele será capaz de morrer com toda a tranquilidade quando chegar o momento. Como todos os desastres dificilmente são assim tão terríveis como tinham sido imaginados, é ridículo lamentar-se adiantadamente e sem cessar. É melhor preparar-se desde o princípio para a ideia de que o destino final do samurai dedicado ao serviço de um senhor é fazer-se *sepukku* ou terminar *ronin*.

## ÊXITO E FRACASSO

A bondade ou a maldade do caráter de um indivíduo não se reflete no êxito momentâneo ou no fracasso, aqui embaixo. O êxito ou o fracasso não são, afinal de contas, mais que manifestações da Natureza. Praticar o bem e o mal faz parte da natureza humana. Apesar disso, é cômodo, por motivos didáticos, expressar-se como se o êxito ou o fracasso no mundo fosse o resultado direto de um bom ou mau-caráter.

## QUEM CALCULA É UM COVARDE

Um homem que não para de calcular é um covarde. Digo isso porque as suposições sempre têm uma relação com as ideias de proveito e de perda; o indivíduo que as faz está sempre preocupado com as noções de ganho e de perda. Morrer é uma perda; viver é um ganho, por isso, algumas pessoas nem cogitam que podem morrer. Isso é covardia. Do mesmo modo, um homem bem educado pode ocultar, com sua inteligência e sua eloquência, a complacência ou a estupidez que forma sua verdadeira natureza. Muitas pessoas não se dão conta disso.

# O CAMINHO DO SAMURAI

O senhor Naoshige tinha por costume dizer: "O Caminho do Samurai é a paixão da morte; aliás, dez ou mais adversários não são capazes de matar um homem movido por essa convicção". Não é possível realizar grandes façanhas quando se está numa disposição psicológica normal. É preciso tornar-se fanático e desenvolver a paixão pela morte. Se alguém conta com o tempo para aumentar seu poder de discernimento, ele corre o risco de que seja demasiado tarde para colocar isso em prática. A lealdade e a piedade filial são algo de suplementar no Caminho do Samurai: o que é preciso é a paixão pela morte. Todo o resto virá como acréscimo dessa paixão. O famoso samurai Kiranosuke Shida disse: "Se sois totalmente desconhecido, entre morrer ou viver, mais vale escolher viver." Shida era um guerreiro fora do comum. Muitas vezes os jovens interpretaram mal o que ele dizia, pensando erradamente que ele defendia uma conduta desonrosa. Num escrito posterior, ele escreveu: 'Se alguém duvida entre comer e não comer, mais vale abster-se. Quando alguém não pode decidir entre viver e morrer, então, é preferível morrer." Existe uma maneira de educar os filhos de samurais. Em sua infância, deve-se enaltecer sua bravura e evitar causar-lhes medo ou zombar deles. Se uma pessoa se vê afetada pela covardia quando criança, fica nela uma cicatriz por toda a vida. É um erro dos pais, quando eles sem refletir fazem as crianças temerem os relâmpagos, os lugares escuros; ou então contam-lhes coisas horríveis a fim de fazê-los chorar. Há mais ainda: se uma criança for severamente repreendida, ela vai tornar-se tímida. Não se deve tolerar os maus hábitos porque, depois que um mau hábito é adquirido pela criança, mesmo que ela seja repreendida, é mais difícil de ser corrigido. Para coisas tais como falar corretamente ou ter um bom comportamento, é preciso tornar a criança pouco a pouco consciente disso. Não se deve permitir que a criança conheça a avareza. Outra coisa: se ela tiver boa índole, ela se desenvolverá seguindo o caminho que for estabelecido para ela. Outro ponto essencial é que, se os pais possuem uma relação ruim, a criança não terá sentimentos filiais; isso é natural. Aliás, os pássaros e os animais se sentem afetados por aquilo que eles veem quando nascem. Portanto, as relações entre pai e filho podem se deteriorar devido à inconsciência da mãe. Uma mãe ama o filho incondicionalmente, embora deva ser imparcial quando ele for corrigido pelo pai. Se ela se tornar aliada do menino, estará semeando a discórdia entre o pai e o filho. Devido à estreiteza de sua mente, uma mulher vê o filho como o sustento da sua velhice.

## A DISTRAÇÃO

Você será confundido pelas pessoas se as suas decisões não forem firmes. E mais: se numa reunião você estiver distraído enquanto outra pessoa fala, poderá pensar que sua opinião coincide com a opinião dessa pessoa, e você vai segui-la dizendo: "De acordo, de acordo". Aliás mesmo quando ela estiver dizendo algo que contrarie seus próprios sentimentos, as demais pessoas vão pensar que você está de acordo com elas. Por isso, você não deve nunca distrair-se, nem mesmo por um só instante, quando estiver em reunião com outras pessoas. Quando estiver ouvindo uma história ou alguém falar com você, tenha cuidado a fim de evitar confundir-se; e se houver alguma coisa com a qual você não concorda, apresente sua opinião, mostre o erro ao seu adversário, faça um esforço para melhorar a situação. Mesmo em assuntos pouco importantes, os mal-entendidos surgem de coisas pequenas; devemos ser cuidadosos a respeito disso. E mais ainda: é melhor não se relacionar com pessoas que não inspiram confiança para não ter problemas futuros. Não importa o que você faça: essas pessoas vão confundi-lo ou absorvê-lo. Para ter segurança nesse tipo de assunto se deve ter muita experiência.

## A DESGRAÇA

Não basta simplesmente evitar sentir-se desanimado quando chega o momento da provação. Quando chega uma desgraça, o samurai deve alegrar-se e aproveitar a oportunidade que lhe é oferecida de poder empregar assim a sua energia e a sua valentia. Essa atitude difere radicalmente da simples resignação: quando a maré sobe, o barco flutua.

Quando se ouviu falar das façanhas de um Mestre, pensar que qualquer coisa que alguém fizer não poderá jamais ser igual, é sinal de uma alma mesquinha. Deve-se pensar, ao contrário, que "Se o Mestre é um homem como eu, por que devo ser-lhe inferior?" Enquanto um samurai se decide a responder a esse desafio feito a ele mesmo, ele já está a caminho da melhoria. Ittei Ishida disse: "Confúcio era um sábio porque começou a estudar muito jovem, foi aprimorando seus conhecimentos ao longo dos anos". Nunca é tarde para adquirir conhecimentos." Em outras palavras, seja firme em seus propósitos para alcançar a iluminação. Um samurai deve prestar atenção a seus feitos e seus gestos a fim de evitar erros de conduta, não importa o quanto esses erros sejam pequenos. Acontece que, por descuido, um guerreiro não controla sua mente e chega a fazer reflexões do tipo: "Decididamente sou um covarde", ou "Se está acontecendo isso, corramos para preservar nossas vidas", ou "Como isso é terrível!", "Ai!" etc. Tais exclamações não devem jamais ser proferidas por um samurai, mesmo que seja para zombar ou fazer rir, nem por descuido, nem mesmo sonhando, em hipótese alguma. Alguém perspicaz adivinharia rapidamente a natureza verdadeira da pessoa que pronunciasse tais palavras; deve-se estar sempre vigilante. Diz-se que um homem que acaba de ser decapitado ainda pode fazer alguns gestos. Esta história nos foi transmitida por Nitta Yoshisada e Ono Moken. Como um homem pode ser inferior a outro homem? Mitani Joyku dizia: "Até quando um homem está à beira da morte, ele pode sobreviver por dois ou três dias."

As más relações existentes entre os atuais governantes e os anteriores, entre o pai e o filho, entre o irmão maior e o menor, são causadas por motivos egoístas. A prova disso é que não existe esse tipo de relação entre o mestre e o servidor.

## AS DECISÕES

Um antigo provérbio diz: "Tomai uma decisão no espaço de sete sopros". O senhor Takanobu Ryuzoti fez um dia este comentário: "Se um homem demora muito para tomar uma decisão, ele dorme". O senhor Naoshige disse também: "Se alguém se lançar sem energia, sete de cada dez ações suas não serão completadas.É verdadeiramente difícil tomar decisões em estado de agitação. Portanto, se alguém enfrenta os problemas com a mente afiada como uma navalha, sem preocupar-se com as consequências menores, ele sempre vai encontrar a solução em menos tempo do que é preciso para fazer sete sopros". É preciso considerar os problemas com calma e determinação.

## O ORGULHO

Aquele que tem poucos conhecimentos se torna rapidamente pretensioso e se alegra com a ideia de ser considerado um homem competente. Os que se orgulham de seus talentos e se consideram superiores aos seus contemporâneos serão inevitavelmente castigados por alguma manifestação do Céu. Um homem que não saiba fazer-se apreciar pelos outros não será útil para ninguém, apesar de sua alta competência. O que trabalha arduamente e sabe permanecer modesto; o que se alegra com a posição subordinada que ocupa ao mesmo tempo que respeita seus iguais, será altamente estimado.

## LEVANTE-SE NA OITAVA

É o cúmulo da loucura para um samurai perder o controle de si mesmo se por infelicidade ele for reduzido ao estado de *ronin* ou se encontra numa situação desfavorável. No tempo do senhor Katsushige, os samurais tinham um lema favorito: "Se você não foi *ronin* sete vezes, então não pode reivindicar efetivamente o título verdadeiro de samurai; tropece e caia sete vezes, para levantar-se na oitava". Claramente, Hyogo Naritomi tinha sido, diz-se, sete vezes *ronin*. Um samurai a serviço de um *daimyo* deve ser como um "joão teimoso" que se levanta todas as vezes que alguém o inclina. Na verdade, seria uma excelente ideia para o Daymio dar aos seus discípulos a liberdade para submeter à prova sua força espiritual.

## O TRATO COM OS SUBORDINADOS

Em um poema em honra da glória de Yoshitune, se diz: "Um general deve dirigir-se frequentemente a seus soldados". As pessoas que servem a um amo estarão muito mais dispostas a consagrar sua vida a seu serviço quando seu amo os louvar em circunstâncias especiais, assim como na vida cotidiana, tal como: "Tendes me servido muito bem"; 'Deveis ser muito cuidadoso com este ou aquele"; "Agora tenho um servidor de primeira classe". Esses comentários atenciosos são de grande importância.

## AUTOPERFEIÇÃO

Se você deseja aperfeiçoar-se, a melhor maneira de fazer isso é solicitar a opinião dos outros e buscar suas críticas. A maior parte das pessoas planeja aperfeiçoar-se confiando apenas em sua própria capacidade de apreciação. O único resultado que conseguem é que não fazem progressos significativos. Os homens que buscam as críticas dos demais já são superiores a eles. A primeira palavra pronunciada por um samurai, em qualquer circunstância, é de extrema importância; por essa palavra ele revela todo o seu valor. Em tempos de paz, a palavra confirma o valor; porém, do mesmo modo, em tempos de distúrbio e destruição, a grande bravura pode revelar-se por uma única palavra. Pode-se dizer que esta palavra única é a flor da alma. Um samurai deve sempre evitar queixar-se, inclusive, no dia a dia. Ele deve estar alerta para não deixar escapar jamais uma palavra que demonstre sua fraqueza. Uma indicação sem importância, feita por descuido, indica frequentemente o valor de quem a fez. Um homem cuja reputação está baseada na sua habilidade para uma técnica precisa é insignificante. Concentrando toda sua energia num só objeto, ele se tornou logo excelente, mas deixou de interessar-se noutras coisas; um homem assim não é de nenhuma utilidade.

## OS CONSELHOS

São numerosas as pessoas que dão conselhos, porém poucas as que os recebem com reconhecimento, e ainda mais raros os que os seguem. Depois dos trinta anos, o homem se torna, de um modo geral, impermeável aos conselhos. Quando os conselhos já não o alcançam, ele se torna fútil e egoísta. Ele acrescenta, pelo resto de seus dias, a falta de pudor à estupidez, o que causará sua perdição irremediavelmente. É por isso que é indispensável descobrir alguém capaz de discernir, ligando-se fortemente a ele para receber seu ensinamento. Um samurai que não atribui nenhum interesse à riqueza e à honra, acaba tornando-se insignificante e invejoso. Tal homem é ao mesmo tempo fútil e inútil, e acaba por revelar-se inferior mesmo àquele cujos únicos motivos são a ambição, o dinheiro e a fama; ele não é de nenhuma utilidade imediata. Até a idade de quarenta anos um samurai deve estar vigilante a fim de não se deixar seduzir pela sabedoria e o sentido do juízo; ele deve depender exclusivamente de sua capacidade e de sua força de caráter. Quanto maior for esta última, melhor será o samurai. Mesmo depois de passar dos quarenta anos; mas isso depende do indivíduo e de sua posição social, um guerreiro não é nada se não tem força de caráter.

## DETERMINAÇÃO

Qualquer que seja o objetivo, nada é impossível para alguém determinado. Tem-se poder, então, para mover céus e terra, se necessário for. Mas quando o homem não tem *o coração no ventre*, ele não pode convencer-se disso. Mover céus e terra sem esforço é uma simples questão de concentração. É bom desenvolver sua potência até a idade de quarenta anos. Em compensação é aconselhável *acalmar-se* a partir dos cinquenta. Quando alguém lhe der sua opinião, é preciso aceitar com gratidão, mesmo que não seja de nenhum interesse. Somente sob essa condição, ele vai comunicar-lhe o que ouviu a seu respeito. É bom dar e receber avisos de uma maneira amistosa. No campo de batalha, impeça que outros tomem a liderança e procure avançar e tomar de assalto as linhas inimigas. Demonstre determinação. Esse conselho é uma herança dos antigos. Por outro lado, se você for ferido no combate, procure cair voltado para o inimigo.

## O FUNDAMENTO DAS COISAS

Conheço um sacerdote que pretende resolver tudo graças à sua extraordinária inteligência; não há nenhum outro que lhe seja comparável no Japão. Isto não é muito surpreendente, já que simplesmente ninguém percebe o fundamento das coisas.

## SENILIDADE

A velhice chega quando uma pessoa se limita a fazer as coisas para as quais tem inclinação. Enquanto dura o vigor, pode-se ir contra essa inclinação: quando ele se enfraquece, as verdadeiras tendências aparecem e nos perturbam. Existem diferentes manifestações desse estado, porém uma vez chegados os sessenta anos, ninguém escapa dele.

Quando alguém pensa que jamais ficará velho, então já se tornou velho. Assim, se pode considerar a argumentação do mestre Ittei como a de uma pessoa senil, quando ele quis provar que ele era o único que podia ajudar a Casa Nabeshima. Ele foi falar com os poderosos de diferentes famílias, mas já mostrava sinais de senilidade. Todo mundo pensou no momento que era um ato razoável; mas se reflito melhor percebo que era um ato de fraqueza. De minha parte, graças a esse exemplo e devido à sensação que tenho de retornar à infância, recusei o convite para a cerimônia no templo por ocasião do aniversário do senhor Mitsushige e resolvi permanecer cada vez mais recluso em minha casa. Deve-se ter clarividência do que vai ocorrer.

## ERROS

Segundo uma história de Ryutaji, havia um especialista no I-Ching na região de Kamigata. Ele teria dito, aliás, que em se tratando de um sacerdote é inútil dar uma posição a um homem antes dos quarenta anos. Até essa idade, tanto o sábio quanto o insensato acumularam numerosas experiências e logo cessam de estar indecisos diante da existência. No que diz respeito ao valor marcial, é mais meritório morrer por seu amo que matar um inimigo. É nesse sentido que se pode compreender a devoção de Sato Tsugunobu. Quando eu era jovem, tinha um "diário de lamentações" no qual mencionava diariamente os meus erros. Porém não passava um só dia sem que eu tivesse que abri-lo vinte ou trinta vezes. Foi desse modo que eu acabei percebendo que seria sempre assim e resolvi abandoná-lo. Hoje, quando medito sobre a jornada antes de ir dormir, não há um só dia em que eu não tenha cometido alguma falha seja em palavras ou ação. Viver sem cometer erros é quase impossível, porém "os intelectuais" estão muito longe de admitir isso. Quando se lê um texto em voz alta, é preciso fazer isso com o ventre;quando se lê com a boca e a garganta, o cansaço vem depressa. Este é um ensinamento de Nakamo Shikibu.

Aquilo que se chama generosidade é apenas compaixão. No *Shin'ei* está escrito: "Olhando com o olho da compaixão, não há ninguém que não mereça ser amado. Quem não tem pecado deve despertar ainda mais a nossa piedade". Não existe limite para a largura e profundidade do nosso coração; nele há espaço para tudo. É por isso que ainda adoramos os sábios dos três antigos reinos (Índia, China e Japão) devido ao fato de que sua compaixão ainda nos alcança atualmente. O que quer que fizerem, vocês devem fazê-lo para o bem de seu amo, de seus parentes, das pessoas em geral e da posteridade; isto é a grande compaixão. O amor e a sabedoria que nascem daí são o verdadeiro amor e a verdadeira sabedoria. Quando alguém castiga ou luta com o coração compassivo, tudo o que fizer será dotado de força e correção sem limites. Fazer uma coisa apenas em benefício de si mesmo é superficial e se torna negativo. Faz tempo que eu compreendi os temas da sabedoria e da bravura. Agora estou justamente começando a entender o tema da compaixão. Lorde Ieyasu dizia: "O fundamento para governar um país em paz é a compaixão: quando alguém considera o povo como seu próprio filho, o povo o considera como seu próprio pai". Além disso, não é preciso pensar que os nomes de *pai do grupo* e *filho do grupo* (quer dizer chefe e membro do grupo) resultam dos harmoniosos corações de uma relação pai-filho? É desse modo que se deve compreender que a frase do senhor Naoshige: "Quem procura faltas [dos outros] acabará sendo castigado pelos outros"provém da compaixão. Sua sentença: "O princípio está além da razão"também tem que ser considerado compaixão. Ele afirmou com entusiasmo que é preciso provar do ilimitado.

## CALIGRAFIA

O mestre Ittei dizia: "O progresso em caligrafia consiste em criar harmonia entre o pergaminho, o pincel e a tinta"; "eles têm tão forte tendência a estar desunidos!" O monje Tannen dizia: "Pode acontecer que um servidor inteligente não avance; mas tampouco existem casos em que um servidor estúpido tenha conseguido sair do anonimato".

## ACEITAR O SOFRIMENTO

O mestre Ittei dizia também: "Para agir corretamente, numa só palavra: é preciso suportar o sofrimento". Não aceitar sofrer é ruim; é um sofrimento que não tem nenhuma exceção.

## FAZER DEMASIADO

Segundo os antigos, um samurai deve ser notado por sua excessiva tenacidade. Uma coisa feita com moderação pode ser julgada insuficiente. É necessário *fazer demasiado* para não cometer erros. É o tipo de princípio que não se pode esquecer. Quando alguém resolve matar uma pessoa, mesmo se o ato pareça difícil de ser realizado, sem dúvida alguma de nada serve querer fazê-la por meios indiretos. O coração pode fraquejar, a ocasião pode não se apresentar e, afinal de contas, tudo pode fracassar. O Caminho do Samurai é o caminho da ação imediata e por isso é preferível *atacar de maneira arrojada.* Certa vez, um homem caminhava para escutar os sutras no Jissõin em Kawakami. Um de seus pajens ficou bêbado e procurou briga com um dos marinheiros presentes. Quando chegaram perto um do outro, o pajem sacou seu sabre e o marinheiro, apanhando uma vara, deu-lhe um golpe na cabeça. No mesmo instante, os outros marinheiros pegaram remos e já iam golpear o pajem quando o amo chegou. Ele deu a entender que não se importava e então outro pajem foi pedir desculpas aos marinheiros. Ele acalmou seu companheiro e o acompanhou até a sua casa, mas então o pajem percebeu que lhe tinham roubado o sabre. A lição a ser aprendida é a seguinte: em primeiro lugar, não ter desaprovado e censurado o pajem no barco foi um ato de negligência do amo; em seguida, mesmo que o pajem tivesse agido sem refletir, quando ele foi golpeado na cabeça, já não havia mais porque se desculpar. O amo deveria ter ido ao encontro do pajem bêbado e do marinheiro, como se fosse desculpar-se, e logo em seguida ter matado os dois. É evidente que esse amo não tinha "espírito." O senhor Naoshige dizia: "O valor de um antepassado se mede pelo comportamento de seus filhos. Um filho deve agir de modo a honrar seu antepassado e não de modo que o desonre; isso é realmente a piedade filial."

Quando Nakano Shogen fez *seppuku*, os membros de seu clã, reunidos na casa de Oki Hyobu, fizeram comentários críticos a respeito dele. Então Hyobu lhes disse: "Não se deve falar mal de alguém que morreu, e aquele que foi condenado deve despertar particularmente a nossa piedade. É dever do samurai elogiá-lo, mesmo que fosse um pouco. Não há dúvida de que dentro de vinte anos se dirá de Shogen que ele era um servidor fiel." Estes são comentários de um homem maduro. Quando se conhece alguém, deve-se captar rapidamente seu caráter e reagir de maneira adequada a cada situação.

Quando se encontra com alguém com bons argumentos, é necessário fazer-lhe frente e vencê-lo pela superioridade da lógica, mas sem ser demasiado severo, a fim de evitar ressentimentos. Trata-se ao mesmo tempo de um assunto do coração e de palavras. Este conselho foi dado por um sacerdote.

# A CONDIÇÃO DO SAMURAI

Se fosse preciso resumir em poucas palavras a condição do samurai, eu diria que em primeiro lugar é devoção de corpo e alma a um amo. Em segundo lugar eu diria que é necessário cultivar a inteligência, a compaixão, a valentia. A combinação dessas três virtudes pode parecer inatingível para o ser comum, porém não é. A inteligência consiste apenas em saber conversar com os demais a respeito disso ou daquilo, alcançando com isso uma sabedoria infinita. A compaixão consiste em agir para o bem dos demais, comparando-se com eles e dando-lhes a preferência. A valentia é saber apertar os dentes. Basta fazer isso em qualquer circunstância. Não é útil conhecer o que está além dessas três virtudes. Em terceiro lugar, no que diz respeito ao aspecto exterior, é necessário cuidar da aparência, do modo de expressar-se, e aperfeiçoar-se em caligrafia. Este é um assunto corrente que se faz necessário melhorar por meio de uma prática cons¬tante. Na base de tudo isso, faz falta sentir em nós a presença de uma força tranquila. Quando ela tiver realizado tudo isso, será necessário aprender a história da nossa terra e de seus costumes. Logo poderemos estudar algumas artes recreativas. Ser um samurai é, no fim das contas, muito simples.

Se você olha os que, hoje em dia, são de alguma utilidade, você vai dar-se conta de que eles reuniram essas três condições. Os homens valentes do passado eram, em sua maioria, ruidosos: sua exuberância era sinal de fortaleza e bravura. Como eu duvidava disso, Tsunetomo me respondeu: "Pode-se compreender que a sua poderosa vitalidade tenha feito deles homens rudes e exuberantes. Atualmente, os homens perderam essa alegria ruidosa porque sua vitalidade é menor. A seiva se esgotou, porém, seu caráter melhorou. O valor é de outra ordem. O fato de que tenham perdido em vitalidade e ganhado em doçura não significa que tenham uma paixão menor pela morte. Isso não tem nada que ver com a vitalidade." Embora o senhor Ieyasu não tenha jamais ganhado uma batalha, a posteridade falou sobre ele: "Ieyasu era um general muito valente". Nenhum de seus samurais morreu no campo de batalha dando as costas ao inimigo; todos jaziam com a cara voltada para as fileiras adversárias.

## O FIM DAS COISAS

Yasuda Ukyo fez o seguinte comentário a respeito da última taça de vinho que se oferece: "Só o fim das coisas é importante". Cada um deveria parecer-se com isso. Quando os convidados vão embora, é importante dizer-lhes adeus com pesar. Se este sentimento está ausente, corre-se o risco de parecer farto, e todo o prazer da jornada se transforma em fumaça. Deve-se, sem cessar, dar a impressão de que a pessoa está fazendo algo de importante; isto é possível com um mínimo de compreensão.

## A SITUAÇÃO

Uesugi Kenshin dizia: "Eu nunca soube o que era ganhar desde o começo até o fim; eu apenas compreendi que não se deve jamais ser inferior à situação, e isso é importante. É ruim que um samurai não esteja à altura; se não estivéssemos constantemente abaixo da situação, não nos sentiríamos jamais embaraçados". Deveríamos desconfiar ao falar de temas tais como o conhecimento, a moralidade, os costumes, diante de pessoas mais velhas ou de alta categoria. É algo desagradável de ser ouvido. Mesmo quando alguém estivesse para ser decapitado, ainda deveria ser capaz de fazer com segurança uma última coisa. Os últimos instantes de Nitta Yoshisada provam isso: se ele tivesse um espírito fraco, teria caído no momento exato em que sua cabeça foi cortada. Esse também foi recentemente o caso de Ono Doken. Esses atos resultam da determinação. Quando alguém possui valor marcial e determinação, mesmo tendo a cabeça cortada não morre, sendo como um fantasma vingador.

## O MUNDO É SONHO

Que alguém seja de alta linhagem ou de origem humilde, rico ou pobre, jovem ou ancião, instruído ou não, estamos destinados a morrer. Nós sabemos que isso é inevitável, mas nos agarramos aos ramos, dizendo que os outros morrerão antes de nós, que seremos o último. A morte sempre parece distante. Acaso isto não é uma visão enganadora e fútil? Não é uma ilusão, um sonho? As coisas não devem ser vistas de maneira tal que sejamos induzidos à negligência. Deve-se ser valente e agir rapidamente, já que a morte virá cedo ou tarde bater à nossa porta. A vergonha e o arrependimento são comparáveis ao derramar de uma jarra de água. Um de meus amigos se deu conta dessa comparação ao ouvir a confissão de quem lhe tinha furtado seu sabre de gala. Quando alguém quer reparar suas faltas, suas pegadas desaparecem rapidamente. Uma pessoa de pouco conhecimento se dá ares de sábio: é uma questão de inexperiência. Quando se domina bem alguma coisa, ela não se destaca em nosso comportamento; uma pessoa assim é educada.

## FANATISMO

O monge Keiho conta que o senhor Aki havia dito um dia que a virtude marcial por excelência era o fanatismo. Eu constatei que isso coincidia com minha própria convicção, e desde então fico cada vez mais impregnado de fanatismo. Quando eu fiz a seguinte pergunta: "O que um samurai não deve jamais fazer quando está a serviço de um *daimyo*?" Responderam-me: "Um samurai não deve nem beber em demasia nem estar demasiado seguro de si mesmo, nem entregar-se ao luxo". Em período de dificuldade, essas fraquezas encontram poucas ocasiões de satisfação; assim, elas só têm consequências limitadas. Porém quando os tempos melhoram, a vida se torna mais fácil; então esses três defeitos se tornam suscetíveis de ter consequências ruins. Olhem de perto a carreira de pessoas que vocês conhecem: logo que começam a tocar o triunfo, elas se tornam desmedidamente arrogantes, e se entregam a um luxo imperdoável. É bom enfrentar dificuldades na juventude.

Numa última análise, a única coisa que conta é a resolução do momento. Um guerreiro toma uma decisão após a outra e o conjunto preenche toda a sua vida. Uma vez que ele compreendeu essa regra fundamental, já não tem que manifestar jamais impaciência, nem buscar outra coisa além do momento presente. Sua existência flui naturalmente, se concentra em suas decisões. Entretanto, as pessoas têm uma tendência para esquecer-se dessa regra de conduta. Aprender a conformar-se às suas decisões sem se desviar só é possível depois de alcançada certa idade. Quando alguém alcançou a iluminação, mesmo se não tiver plena consciência disso, sua determinação está sempre presente. Se alguém cumprir mesmo que seja uma só de suas resoluções, raramente ficará perturbado, porque ele revela assim um gesto de lealdade para consigo mesmo, um gesto de fé.

## A NOSTALGIA DO PASSADO

Não podemos mudar a nossa época. O fato de que as condições de vida se degradam regularmente é prova de que alguém penetrou na última fase do destino. Com efeito, não se pode estar constantemente na primavera ou no verão, tampouco se pode desfrutar permanentemente: por isso é inútil esforçar-se para mudar a natureza dos momentos atuais, para reencontrar os dias felizes do século passado. O erro dos que cultivam a nostalgia do passado vem do fato de não compreenderem essa ideia. Porém os que têm consideração apenas pelo momento presente e afetam detestar o passado, parecem ser muito superficiais.

## EXAME COTIDIANO

Deve-se ensinar aos jovens samurais as virtudes marciais, de modo que cada um deles esteja convencido de ser o guerreiro mais bravo do Japão. Ao mesmo tempo, os jovens samurais devem avaliar todos os dias seus progressos com respeito ao Caminho e desfazer-se o mais rapidamente possível de suas imperfeições. Esse exame cotidiano é a condição para alcançar a meta buscada.

## MARIONETES

Enquanto refletia ao caminhar, me ocorreu que os seres humanos são umas extraordinárias e inteligentes marionetes articuladas. Embora estejam suspensos por fios, podem saltar, caminhar, falar. Como foram magnificamente concebidos! Porém daqui até o próximo festival budista podem morrer e vir a visitar-nos sob a forma de espíritos. Que existência mais vã! As pessoas parecem sempre esquecer-se disso.

## QUANDO A ÁGUA SOBE...

Existe um provérbio que reza: "Quando a água sobe, o barco também sobe". Em outras palavras, diante das dificuldades, as faculdades se aguçam. É certo que os homens valentes cultivam seriamente seus talentos quando as dificuldades que enfrentam são importantes. É um erro imperdoável deixar-se abater pelas dificuldades.

## AGORA É A HORA

O mestre Jocho disse a seu genro Gomojo este pensamento: "Agora é a hora, e a hora é agora". Temos tendência para pensar que a vida cotidiana difere de um momento de crise; assim, quando chega o momento de agir, nunca estamos prontos. Se nos convocam para falar com o *daimyo* ou somos enviados a uma missão, não encontramos palavras para expressar-nos. Essas atitudes indicam que diferenciamos continuamente "o tempo presente", no sentido amplo, e "o momento presente". Compreender a expressão: "A hora é agora", significa preparar-se constantemente para um acontecimento imprevisto. Um samurai deve estar sempre disposto a expressar-se claramente em público, a ser convocado perante o *daimyo* ou mesmo a encontrar-se com personalidades oficiais, até com o próprio *shogun* em pessoa. Pouco importa que isso aconteça ou não, deve-se ter uma disposição permanente para isso. Essa disponibilidade para agir é o método a ser aplicado a fim de terminar todas as nossas ações, tanto nas artes militares quanto nos deveres cívicos. Se os deuses ignoram minhas preces, porque fui maculado pelo sangue do inimigo, a única coisa que me resta a fazer é continuar meus atos de devoção, sem preocupar-me com a mancha. Aliás, embora os deuses não amem as manchas de sangue, eu tenho minha própria maneira de ver as coisas.

Não me esqueço jamais de minha oração diária. Aliás, se no campo de batalha sou salpicado de sangue ou tropeço nos cadáveres que jazem a meus pés, tenho confiança na eficácia das minhas orações dedicadas aos deuses a fim de alcançar o sucesso militar e garantir-me uma vida longa.

## FUGACIDADE

A vida humana dura um só instante; é necessário ter a força de vivê-la fazendo aquilo que mais nos agrada. Neste mundo fugaz como um sonho, viver no sofrimento fazendo apenas as coisas que mais nos desgostam é pura loucura. Entretanto, este princípio, mal-entendido, pode ser nocivo; por isso decidi não ensiná-lo aos jovens... Adoro dormir. Em resposta à situação atual do mundo penso que o melhor que posso fazer é voltar à minha casa e dormir. Acontece muitas vezes que um homem que goza de grande capacidade de juízo e que é consciente de seu valor, se torna cada vez mais arrogante. É difícil conhecer realmente as suas qualidades, porém mais difícil ainda é admitir as suas qualidades. O mestre Zen Kaion é quem fez essas reflexões.

## DIGNIDADE E SERENIDADE

A dignidade de um ser é medida pela impressão exterior que ele causa. Existe dignidade no esforço e na assiduidade; na serenidade e na discrição. Existe dignidade na observação das regras e na retidão. Também há dignidade para apertar os dentes e manter os olhos abertos: todas essas atitudes são visíveis do exterior. O importante é agir sempre com dignidade e sinceridade. Kazuma Nakano disse: "É um sinal de mesquinhez e falta de gosto utilizar um jogo de taças já gasto, para a cerimônia do chá". Os utensílios novos são mais convenientes. Algumas pessoas podem pensar que mais vale empregar utensílios já gastos devido à sua origem. Estas duas concepções são igualmente errôneas. Os objetos antigos foram usados por pessoas certamente modestas, porém sua grande antiguidade lhes confere uma certa nobreza. Os utensílios velhos deram prova de sua qualidade em mãos de gente de alta categoria. Por terem sido possuídas e usadas por seu proprietário, tiveram seu valor aumentado. Pode-se manter um raciocínio semelhante sobre o dever do samurai. Um homem de origem modesta que alcança certa reputação e uma posição social elevada está manifestamente dotado de qualidades extraordinárias. Entretanto, sempre haverá pessoas que acharão desagradável acotovelar-se com um homem de genealogia duvidosa, que sempre se recusa a considerar como um oficial superior quem até agora era um simples soldado. No fundo, um homem que conseguiu destacar-se da multidão só pôde fazer isso devido ao fato de que possuía mais habilidade e mérito do que os que já estão colocados inicialmente num escalão elevado. Por isso devemos sempre testemunhar-lhes o maior respeito. Quando alguém busca algo de essencial para realizar, precisa saber manter-se longe do *daimyo* de um feudo, das personalidades oficiais e dos conselheiros. Quando alguém passa o tempo "girando em volta" de seus superiores, e como que suspenso dos lábios deles, se torna difícil realizar os projetos. É um princípio que não deve ser esquecido. É ruim reclamar; entretanto, tampouco é bom elogiar alguém constantemente. Um samurai deve conhecer sua posição, observar a disciplina sem distrair-se, e falar o menos possível. Um homem valoroso deve permanecer impávido e jamais dar a impressão de estar fora de controle. Somente as pessoas insignificantes, cujo caráter se revela agressivo, buscam a fama a qualquer preço e entram em choque com todos que encontram. Num debate ou numa discussão, algumas vezes é preciso saber perder logo, a fim de fazer isso com elegância. Da mesma maneira, se na luta Sumô, para ganhar a qualquer preço, alguém se põe a fazer trapaças, ele se torna pior que um vencido, e se torna, ao mesmo tempo, um derrotado e carente de elegância.

## O ORGULHO

Alguém disse: "Há dois tipos de orgulho, o interno e o externo. Um samurai que não possui os dois é de utilidade duvidosa". O orgulho pode ser comparado com a lâmina de um sabre. Ela deve ser afiada e logo em seguida recolocada na bainha; de vez em quando é desembainhada, segurada e limpada para retornar à bainha. Se o sabre de um samurai está sempre desembainhado, se está sempre levantado, as pessoas vão amedrontar-se e lhe será difícil ter amigos. Se, ao contrário, ele jamais o saca de sua bainha, a lâmina ficará embotada e ninguém vai temer o portador.

## INTUIÇÃO SÚBITA

As palavras de um homem de grande experiência deveriam ser ouvidas com respeito e gratidão, mesmo se ele fala de coisas que já sabemos. Acontece, às vezes, que depois de ter ouvido dez ou vinte vezes a mesma coisa, alguém tenha uma intuição súbita, e essa intuição vá além de seu significado habitual. Existe uma tendência a olhar as pessoas idosas do alto e não levar seus comentários a sério; deveríamos, porém, fazer o contrário, admitindo que elas tiveram o benefício de uma experiência ampla e real.

## NOSSA OPINIÃO

Como já destaquei em minhas *Reflexões Loucas* [um manual de comportamento do samurai redigido para meu genro Gonojo], o ponto mais alto do serviço de um samurai é saber expressar com inteligência sua própria opinião, como os homens qualificados do feudo, que são os conselheiros experimentados do *daimyo*. Quando alguém compreendeu isso, pouco importa o que uma pessoa pensa ou faz; porém ninguém compreendeu isso até agora. Existem poucas pessoas cuja inteligência seja suficiente para adequar-se a esse princípio. Alguns, mais preocupados com sua promoção pessoal, fazem uso de adulação e lisonja a fim de melhorar sua situação. Tais pessoas alimentam apenas baixa ambição e não podem alcançar o nível de um homem experimentado. Alguns, ainda mais calculistas que estes últimos, não manifestam nenhum interesse em vir a ser bons samurais, e passam o tempo se deliciando com os *Ensaios sobre a Preguiça*, ou a poesia de Sagyo. Entretanto, do meu ponto de vista, Kenko e Sagyo são apenas covardes; e porque eles eram incapazes de assumir as funções de samurai, tratam com desdém esses problemas, valendo-se do título de religiosos retirados do mundo. Ainda hoje em dia, embora eu pense que é bom para esses sacerdotes e as pessoas de idade consagrar-se a essa literatura, é preferível, para quem tem a ambição de ser um verdadeiro samurai, que mesmo quando oprimido em seu combate para penetrar no mundo, se esforce para servir ao seu amo com perfeição e lealdade. Mesmo que, para conseguir isso, tenha que estar mergulhado nas profundezas do inferno.

## LONGEVIDADE

Quando o *daimyo* Naoshige passou por um lugar chamado Chiriki, disse a si mesmo: "Por aqui vive um homem ancião, cuja idade supera os noventa anos. Este homem é tão feliz que vocês deveriam parar para cumprimentar-lhe". Naoshige ouviu e respondeu: "Quem pode ser mais infeliz que este homem? Quantos filhos e netos ele já viu desaparecer? Onde se encontra sua sorte? Ele não parou para cumprimentar o ancião.

## DESCANSO

Disseram-me que o senhor Naoshige havia dito um dia: "Há um momento em que todo o mundo está alegre e amistoso; esse é o momento em que a gente fica relaxada. Entretanto, também há coisas que lamentamos sempre, depois de tê-las feito ou falado."

## CONFUSÃO

Durante uma caçada num lugar chamado Shiroishi, o amo Katsushige matou um enorme javali. Todos o rodeavam, admirando-o por causa do animal extraordinário que ele acabara de abater. De repente, o javali, que se considerava morto, se levantou e atacou. Os membros do cortejo do amo, surpresos, se assustaram e fugiram. Naquele momento, Matabei Nabeshima, rápido como o raio, se lançou sobre o javali e o alcançou. O amo Katsushige cobriu o rosto com a manga da túnica e exclamou: "O ar está cheio de poeira". Evidentemente, ele fez esse gesto a fim de evitar ver a confusão dos aduladores. Um homem, Hyogo Naritomi disse um dia: "A verdadeira vitória significa alcançar a vitória sobre si mesmo; é a vitória do espírito sobre o corpo." Um samurai tem o dever cotidiano de cultivar seu espírito e de exercitar seu corpo de tal maneira que nenhum – entre mil aliados – possa alcançá-lo. Sem isso, ele será certamente incapaz de derrotar um inimigo.

## UM MÉTODO SECRETO

Quando você for sair para uma missão importante, antes de fazê-lo, coloque saliva sobre os lóbulos das orelhas, respire profundamente, puxe e rompa um objeto entre suas mãos. É um método secreto. Do mesmo modo, se você sente que o sangue lhe sobe à cabeça, coloque saliva sobre os lóbulos da orelha e vai senti-los imediatamente melhor. Serão consideradas sempre como algo natural a qualificação e a competência de um samurai, qualquer que seja a maneira extraordinária como ele realiza suas façanhas. Se seus resultados são semelhantes aos de seus contemporâneos, se considera que são de pouco valor. Em compensação, se uma pessoa despreocupada realiza algo de maneira ligeiramente superior à média, será muito elogiada.

## AS PALAVRAS

A melhor atitude com respeito às palavras é não fazer uso delas. Se você pensa que pode passar sem usá-las, não fale. O que deve ser dito deveria sempre sê-lo da maneira o mais concisa, lógica e clara possível. Uma quantidade surpreendente de pessoas se tornam ridículas falando sem refletir e se desconsideram a si mesmas.

## LEALDADE COM A MORTE

A lealdade absoluta com respeito à morte deve ser posta em prática todos os dias. Devemos começar cada amanhecer meditando tranquilamente, pensando no último momento e imaginando as diferentes maneiras de morrer: morto por uma flecha, por um tiro de canhão, atravessado por um sabre, submerso nas ondas, saltando num incêndio, golpeado pelo raio, soterrado por um terremoto, tombado de um penhasco, vítima de uma enfermidade ou subitamente. Devemos começar o dia pensando na morte. Como dizia um antigo: "Quando você abandona seu telhado, você entra no reino dos mortos; quando abandona seu umbral, encontra o inimigo." Essa sentença não prega a prudência, mas a firme resolução de morrer.

# AS PEQUENAS FALHAS

Se você se lança a um empreendimento, não se preocupe com os problemas de pouca importância. Não é grave que um samurai se manifeste egoísta de vez em quando, se de um modo geral é perfeitamente leal e devotado ao seu amo, se é bravo e generoso. De fato, é pior ser sempre perfeito em todas as coisas, porque então se tem tendência a esquecer que podemos cometer erros. Um homem que se lança à aventura não pode cometer falhas. Com efeito, que importância tem, num homem que cultiva a honra e a integridade, cometer uma falta mínima? Quando Nabeshima Tadanao tinha apenas quinze anos, um criado da cozinha cometeu uma ação má e um dos guardas quis matá-lo; mas aconteceu que ao final foi o criado que o matou. Os anciãos do clã pediram a morte do criado, argumentando que aquele homem tinha saído de sua posição e tinha derramado o sangue de seu adversário. Tadanao, ao ouvir isso, disse: "Qual é a coisa mais condenável, sair da sua posição ou afastar-se do Caminho do Samurai?" Os anciãos não souberam o que responder. Então Tadanao disse: "Eu li que quando o delito não é verdadeiramente evidente, o castigo deve ser ligeiro; prendam-no por algum tempo". Quando o senhor Katsushige era jovem, o Naoshige, seu pai, lhe ensinou isso: "Para treiná-lo a usar o sabre, vou cortar a cabeça de alguns condenados à morte." Assim se fez. Na praça, que se encontra no interior da muralha da Porta Oeste, havia uns homens enfileirados, e Katsushige os decapitou um após o outro. Quando chegou ao décimo, percebeu que ele era jovem e forte, e disse: "Estou cansado, perdoo a vida deste homem." Aquele homem recebeu o indulto. Quando o *daimyo* Takanobu estava na batalha de Bungo, um mensageiro do campo adversário veio trazer-lhe um presente: saquê e comida. Takanobu ia repartir o que recebera, quando seus homens o impediram, dizendo: "Os presentes do inimigo provavelmente estão envenenados, general, o senhor não deveria sequer tocá-los". Takanobu os ouviu e disse: "Mesmo se a comida estiver envenenada, em que o destino pode ser mudado?" Tragam o mensageiro! Ele então bebeu três grandes taças, ofereceu uma ao mensageiro, e o mandou de volta ao seu acampamento.

## ERVA DA COVARDIA

Quando se deu a queda do castelo de Arima, no dia 28, Mitsuse Genbei se assentou sobre um dique no meio dos campos, na vizinhança da cidadela. Quando Nakano passou por ali e lhe perguntou o que estava fazendo, Mitsuse respondeu-lhe: "Sinto dores na barriga e não posso dar mais um passo; mandei meus homens ao assalto e lhe peço para assumir o comando." Isso foi repetido por uma testemunha; julgaram que ele era covarde, e ele foi condenado a fazer o *seppuku*. Já faz muito tempo, as dores abdominais eram chamadas de *erva da covardia*. Elas chegam sem avisar e imobilizam o homem. Nakamo Uemonnosuke Taaki foi morto no décimo segundo dia do oitavo mês do ano Eiroku durante a guerra entre os senhores Goto e Hirai de Suko, na ilha de Kabashima, na região de Kishima. Antes de ir ao encontro das fileiras inimigas, ele abraçou seu filho Shihibu [mais tarde chamado de Jin'emon] no jardim e lhe disse: "Quando você for maior, consiga a honra por meio do Caminho do Samurai". Desde então, mesmo quando os filhos de sua família eram muito jovens, Yamamoto Jin'emon os reunia e lhes dizia: "Cresçam e se tornem guer-reiros valorosos, sejam dedicados ao seu senhor". E acrescentava: "É bom murmurar essas coisas aos seus ouvidos, mesmo que sejam demasiado jovens para compreender". Quando Sahei Kiyoji, filho legítimo de Ogawa Toshikiyo, morreu, ele era muito jovem. Entre os samurais, houve um homem que foi correndo até o templo para fazer o *seppuku*.

## APROVEITAR A OCASIÃO

Quando Taku Nagato No Kami Yasuyori morreu, Koga Yataemon disse que, por não ter podido recompensar seu amo por todos os benefícios que lhe tinha dado, ia fazer *seppuku*. Kenshin Uesugi fez o seguinte comentário: "Não conheço receitas para garantir a vitória; o que sei é que é preciso aproveitar toda ocasião e jamais deixá-la escapar". Esse comentário é interessante.

## DOMINAR SEUS ALIADOS

"O que é chamado 'vencer' é, em primeiro lugar, dominar seus aliados", dizia Narutomi Hyogo. "Dominar seus aliados é dominar-se e dominar-se é controlar rigorosamente o corpo. Se alguém se encontra numa situação comparável à do homem rodeado de dez mil aliados, nenhum dos quais o seguiria; se não soube dominar previamente o espírito e o corpo, então ele não pode vencer seu inimigo." Quando ocorreu a rebelião de Shibamara, embora sua armadura tivesse ficado no acampamento, Shugo Echigen No Kami Tanenao se lançou à batalha vestido somente com um Hakama e uma blusa [haori]; diz-se que ele foi encontrado vestido assim.

Quando ocorreu o ataque ao castelo de Shibamara, Tazaki Geki vestiu uma armadura esplêndida, vistosa; o *daimyo* Katsushige ficou aborrecido com isso e, desde então, cada vez que percebia alguma coisa exagerada, dizia: "É a mesma coisa que a armadura de Geki". Levando em conta essa anedota, as armaduras e os equipamentos militares demasiado vistosos podem ser considerados como sinal de fraqueza e falta de força: revelam a verdadeira natureza de quem os porta. Quando Nabeshima Izen No Kami Tadanao morreu, o samurai Ezoe Kimbei tomou seus restos mortais e os fez consagrar no monte Koya. Depois ele se retirou para um lugar afastado, esculpiu uma estátua do seu amo e outra que representava ele mesmo fazendo uma reverência ao seu amo. Quando se aproximava o aniversário da morte de Tadanao, ele voltou para casa e fez o *seppuku*. A estátua foi mais tarde transferida do monte Koya para Koenji.

O senhor Mitsushige tinha entre os seus guardas pessoais um samurai chamado Oishi Kosuge. Quando o *daimyo* ia para sua outra residência de Edo, Kosuge tinha o costume de dar voltas constantes pelos apartamentos. Quando ele considerava que uma zona era perigosa, desenrolava uma esteira ali e passava a noite velando. Se chovia, ele tinha por abrigo somente um grande guarda-chuva de bambu e uma capa oleada; protegido assim, ele permanecia de pé e vigiava o lugar apesar da chuva. Até a sua morte, não omitiu uma só noite essa regra de prudência. Com a idade de cinco anos, a pedido de Jin'emon, seu pai, Yamamoto Kichizaemon matou um cachorro com um sabre; com a idade de quinze anos teve que executar um criminoso do mesmo modo. Era o costume da época. Foi assim que o senhor Katsushige, ainda muito jovem, mandado pelo *daimyo* Naoshige, executou dez condenados um após o outro. Essa prática era muito corrente entre as classes altas nos tempos antigos, porém agora nem mesmo os filhos das classes inferiores realizam esse tipo de execução, e isso é uma negligência muito grave. Dizer que se pode viver sem ter tido o mérito de matar um condenado, porque isso se trata de um crime, de uma baixeza, de uma mancha, é apenas uma desculpa. Deveríamos pensar que aqueles cuja virtude marcial é fraca são os que tratam de não manchar as mãos. Se sondarmos a mente dos que consideram essas práticas desagradáveis, veremos que buscam escusas, desculpas, porque são demasiado sensíveis para aquelas práticas. Entretanto, Naoshige tinha ordenado assim porque era uma prática conveniente. No ano passado, fui a um lugar de execuções chamado Kase a fim de comprovar a firmeza de minha mão e descobri que era uma coisa boa; senti-me bem: pensar que isso é impressionante é sinal de covardia.

## VENCER A ENFERMIDADE

As enfermidades e coisas semelhantes se tornam graves devido a nossos próprios sentimentos. Eu nasci quando meu pai tinha setenta e um anos, e por isso era um menino enfermiço. Mas devido ao fato de que tinha o desejo de ser útil, até mesmo numa idade avançada, fiz prova da sorte quando chegou o momento, e desde então nunca estive doente. Me abstive de sexo e usei cauterizantes. Essas são coisas que fazem efeito indiscutivelmente. Há um provérbio que diz: "Até quando alguém queima um *mamushi*" sete vezes, ele retornará à sua forma original. Essa é minha grande esperança. Sempre tive uma ideia: ser capaz de realizar o desejo de meu coração, que é renascer sete vezes como membro do meu clã. Yamamoto Jin'emon disse que o melhor para um samurai é ter bons seguidores. Os assuntos militares não são assuntos de uma única pessoa, por mais eficiente que ela queira ser. Dinheiro é uma coisa que alguém pode pedir emprestado às pessoas, porém um homem bom não é algo que apareça repentinamente. Deve-se tratar um homem amavelmente desde o começo. E ter seguidores significa não se alimentar apenas a si mesmo; quando se divide aquilo que se tem, e se alimenta até mesmo as pessoas de menor categoria, tem-se a possibilidade de ganhar para si homens bons.

## VALENTIA

Diz-se que ao final de cada reunião de seu clã, Oki Hyobu dizia: "Os jovens devem esforçar-se para aumentar sempre a sua determinação e a sua valentia. Isso só poderá ser feito quando a valentia estiver enraizada no coração. Quando o sabre está partido, é preciso atacar com as mãos; quando as mãos estão amputadas, é preciso valer-se dos ombros; quando os ombros estão cortados, é preciso morder o pescoço de dez ou até quinze inimigos. Isso é realmente valentia."

## HOMOSSEXUALIDADE

Este foi um comentário de Nakano Shikibu. Quando alguém é jovem, pode ficar envergonhado por toda a sua vida por atos homossexuais. É perigoso não compreender isso. Devido ao fato de que ninguém informa os jovens acerca desse tema, vou dar algumas indicações. Deve-se entender que uma mulher é fiel a um único homem; seus sentimentos se dirigem a uma só pessoa por toda a vida. Se não for assim, então é o mesmo que sodomia ou prostituição. É uma vergonha para um guerreiro. Ihara Saikaku escreveu esta sentença famosa: "Um adolescente sem um amante adulto é como uma mulher sem marido." Esse tipo de pessoa é ridícula. Um jovem tem que submeter um adulto à prova por pelo menos cinco anos; e se ele está seguro das intenções dessa pessoa, então pode solicitar também as relações. Uma pessoa leviana não entrará profundamente em relação, e logo abandonará seu amante. Se alguém pode ajudar e entregar sua vida a outro, então sua natureza poderá ser averiguada. Porém, se um dos dois não for honesto, o outro deve dizer que existem obstáculos à relação e afastar-se com firmeza. Se o primeiro perguntar quais são os obstáculos, o outro deve dizer que nunca falará, por toda a sua vida. Se o primeiro insistir, o outro vai aborrecer-se; e se continuar insistindo, então é preciso matá-lo. Daí se conclui que o homem adulto tem que descobrir os motivos do jovem da maneira descrita. Se o jovem pode se entregar a si mesmo e permanecer nessa situação por cinco ou seis anos, então será de confiança. Em primeiro lugar, não se tem que dividir um caminho em dois. É preciso esforçar-se para seguir o Caminho do Samurai. Hoshino Ryotetsu foi o progenitor da homossexualidade em nossa província, e embora tenha tido numerosos seguidores, instruiu a cada um deles individualmente. Edayoshi Saburozaemon foi um homem que compreendeu o fundamento da homossexualidade. Um dia, quando acompanhava seu amo a Edo, Ryotetsu perguntou a Saburozaemon "O que você compreendeu sobre a homossexualidade?" Saburozaemon respondeu: "É algo de agradável e desagradável ao mesmo tempo". Ryotetsu ficou contente com a resposta e disse: "Você refletiu por muito tempo e com esforço, para responder assim". Alguns anos depois, uma pessoa perguntou a Saburozaemon o sentido daquela resposta. Ele disse: "Entregar sua vida por outro é o princípio básico da homossexualidade. Se não for assim, então ela é motivo de vergonha. Entretanto, logo você não abandonou nada para se entregar ao seu amo. Por isso se diz que é algo simultaneamente agradável e desagradável." Na décima segunda seção do capítulo cinquenta do *Ryoan- Kyo*, aparece a seguinte anedota: Na província de Hizen, vivia um homem originário de Taku. Ele sofria de varíola, mas apesar disso quis juntar-se às forças que saíam para assaltar o castelo de Shimaba. Seus parentes tentaram dissuadi-lo: "Com uma doença tão grave, mesmo se chegar até lá, você não vai servir para nada." "Ficarei satisfeito, mesmo se morrer no caminho. Meu mestre me acolheu em sua generosa bon-dade. Como poderia eu agora não lhe ser de alguma utilidade?" Marchou rumo às fileiras inimigas. Era inverno, mas, apesar do frio, ele não cuidou de sua saúde. Vestiu-se como estava acostumado e não abandonou sua armadura. Não tomou remédios contra a sua enfermidade; porém acabou por recuperar-se. Ocorreu, portanto, o contrário do que se esperava; ele não se retirou. Quando o *daimyo* Suzuki Shozo soube disso, ele disse: "Acaso sacrificar assim sua vida não é purificar-se? Um homem que entrega sua vida em nome da justiça, não tem necessidade de invocar o deus da varíola. Todos os deuses do céu o protegem". Faz alguns anos, quando houve uma recitação de sutras no Jissoin de Kawakami, cinco ou seis homens de Konyamachi e dos arredores de Tashiro foram descansar e, no caminho de volta, decidiram beber umas taças. Um samurai da casa Kizuka Kyuzaemon recusou a proposta de seus companheiros e voltou para casa antes do cair da noite. Durante essa noite, seus companheiros se envolveram numa luta e mataram várias pessoas. O samurai de Kyuzaemon soube disso foi imediatamente falar com seus companheiros, ouviu a versão deles e disse: "Suponho que vocês vão fazer um relatório. Eu lhes peço que declarem que eu estava presente e que participei do combate mortal. Eu direi o mesmo a Kyuzaemon. Devido ao fato de que esse combate diz respeito todos nós, farei frente à morte com todos vocês: esse é meu desejo mais profundo. De fato, se eu dissesse ao meu amo que voltei mais cedo, ele não acreditaria em mim; Kyuzaemon é um homem severo. Mesmo se os investigadores me desculparem, serei executado diante de vocês por covardia; e será lamentável se eu morrer com má reputação. Morrer por morrer, eu prefiro que seja por ter matado alguém. Se vocês não aceitam, cravo o sabre em meu ventre agora mesmo." Não tendo escolha, aceitaram. Quando se fez a investigação, as verdadeiras circunstâncias foram descobertas e se soube que o samurai tinha voltado para casa. Os investigadores ficaram muito impressionados e o homenagearam. Só me contaram os traços principais dessa história; vou estudá-la em seus pormenores mais adiante.

Nabeshima Aki No Kami estava comendo quando chegou um visitante e ele teve que deixar seu prato como estava. Pouco depois, um dos servidores se sentou diante da bandeja e começou a comer o pescado frito. Nesse momento exato chegou o senhor Aki e surpreendeu o visitante, que se retirou assustado. Aki gritou: "É preciso ter uma mentalidade de escravo para comer no prato começado por outra pessoa". Ele então retornou e terminou sua refeição. Essa história foi contada por Jin'emon. Conta-se que esse servidor foi um dos que se suicidaram quando morreu seu amo. Ichiguyen era um pequeno servidor sob as ordens do *daimyo* Takanobu. Devido a um desacordo que teve com respeito à luta, matou com seu sabre sete ou oito homens, e foi condenado a fazer o *seppuku*. Quando o senhor Takanobu soube disso, ele usou de clemência e disse: "Nossa nação conhece agora uma época tumultuada. Os homens bizarros são de uma grande importância, e este homem é realmente bizarro." Por isso, quando ocorreram os combates às margens do rio Uti, o senhor Takanobu levou Ichiguyen com ele. O guerreiro alcançou uma glória ímpar ao precipitar-se contra a vanguarda inimiga e dizimá-la a cada ataque. Na batalha de Tagaki, Ichiguyen penetrou tanto nas fileiras inimigas, que o *daimyo* Takanobu, tomado de preocupação, teve que chamá-lo de volta. Infelizmente, sua vanguarda não pôde avançar e ele teve que se lançar à batalha.

A cabeça dele tinha numerosas feridas que foram cuidadas com a aplicação de folhas, cobertas por uma fina toalha.

Quando Fukuchi Rokurouemon deixava o castelo, a liteira de uma dama que parecia ser de alta categoria passou diante da mansão do lorde Tabu, e o homem da guarda fez as saudações com capricho. Apesar disso, um portador de lança que acompanhava a liteira o interpelou e disse: "Você não se inclinou o bastante", e o golpeou com o punho da lança. O guarda tocou sua cabeça e notou que sangrava; então ele se levantou disse: 'Você cometeu uma ação desonrosa, enquanto eu fui cortês; isso é uma desgraça", e matou o portador de lança com um só golpe de sabre. A liteira continuou seu caminho. Rokurouemon levantou sua lança e disse: "Embainhe o seu sabre; está proibido de desembainhar o sabre no recinto do castelo". O homem respondeu: "O que acaba de ocorrer era inevitável e as circunstâncias ditaram minha conduta". Provavelmente o senhor percebeu isso. Desejo voltar a embainhar, mas é difícil para mim fazer isso, devido ao tom da sua voz. Ficarei satisfeito em responder ao seu desafio". Rokurouemon abaixou imediatamente sua lança e disse: "Você tem razão. Eu me chamo Fukuchi Rokurouemon. Testemunharei que a sua conduta foi exemplar. E mais ainda: apoiarei você arriscando minha própria vida. Agora lhe peço que embainhe o seu sabre". "Com o maior prazer", disse o guarda, e embainhou. Ele disse que servia Taku Nagato No Kami Yasuyori. Por isso Rokurouemon o acompanhou e relatou seus atos. Entretanto, a dama da liteira era a esposa de um nobre, e o senhor Nagato ordenou ao guarda que fizesse o *seppuku*. Rokurouemon disse então: "Dei-lhe minha palavra de samurai; se este homem for culpado, então farei o *seppuku*, eu primeiro". Conta-se que essa história terminou sem maiores consequências.

Um grupo de homens tinha se reunido um dia no interior do castelo, quando alguém disse a Uchida Shouemon: "Diz-se que o senhor ensina a arte de manejar o sabre; mas, a julgar pelo seu comportamento de todos os dias, deve carecer de habilidade; se eu lhe pedisse para ser assistente de um *seppuku*, tenho a impressão de que em vez de cortar a base do pescoço, o senhor cortaria a parte de cima". Shouemon respondeu: "Isto não é certeza; desenha com tinta um pequeno ponto na base do seu pescoço, e eu vou mostrar-lhe como posso cortá-lo sem errar nem mesmo pela espessura de um fio de cabelo."

A caminho de Tokaido, Nagayama Rokurozaemon se deteve em Hamatsu. Quando passava diante de uma hospedaria, um mendigo se aproximou de sua liteira e disse: "Sou um *ronin* de Echigo, não tenho dinheiro e estou em dificuldades. Nós dois somos Bushi, peço-lhe que me ajude". Rokurozaemon se aborreceu e disse: "É um insulto dizer que nós dois somos Bushi. Em seu lugar, eu já teria enfiado o sabre no ventre, ao invés de continuar vagando, expondo minha vergonha; corte seu estômago agora mesmo". Diz-se que o mendigo se afastou. No curso de um ritual de *seppuku*, o assistente cortou a cabeça, tendo o cuidado de deixar um pequeno pedaço de carne, de tal modo que a cabeça não ficasse completamente separada do tronco. Um observador oficial declarou: "Não está acabado". O Kaishaku, furioso, pegou a cabeça, cortou o pedaço de carne, levantou a cabeça à altura dos seus olhos e disse: "Olhem!" Foi impressionante. Era uma história do senhor Sukeemon. Antes, às vezes, acontecia que a cabeça "voasse". Dizia-se então que mais valia deixar um pequeno pedaço de carne, a fim de impedir que a cabeça fosse projetada sobre os oficiais. Agora, o costume é cortar completamente a cabeça. Um homem que tinha cortado cinquenta cabeças disse: "Algumas vezes o tronco de um corpo cuja cabeça você cortou não o deixa indiferente; para os três primeiros você não nota nada; no quarto ou no quinto você já começa a sentir alguma coisa. Como este ponto é de uma extrema importância, se você se decide a cortar cabeças, tem que fazer isso sem cometer nenhum erro".

Quando o daimyõ Nabeshima Tsunashige era menino, Ivamura Kuranosuke foi encarregado de tomar conta dele. Um dia, Kuranosuke, vendo que tinham colocado moedas de ouro diante do jovem Tsunashige, perguntou ao servidor: "Por que estas moedas estão aqui?" O servidor respondeu que seu amo acabava de saber que o tinham presenteado; e como ainda não tinha visto o presente, trouxera-o para ver. Kuranosuke criticou asperamente o servidor, e disse: "Colocar tais objetos diante de uma pessoa importante é de mau gosto. Cuide para que jamais estejam diante do filho do senhor; os servidores devem ser vigilantes". Certa vez, o *daimyo* Tsunashige, então com vinte anos, se dirigia à fazenda de Naeskiyama para divertir-se. Quando o cortejo estava perto da fazenda, ele pediu um bastão para caminhar. O encarregado de suas sandálias, Miura Jibuzaemon pegoue um pau e o transformou em bastão. Kuranosuke viu, se apoderou rapidamente do bastão, e repreendeu com aspereza Jibuzaemon: "Acaso você quer que nosso jovem amo se torne efeminado? Dar-lhe este bastão, mesmo que ele o reclame, é uma negligência". Jibuzaemon foi promovido mais tarde à categoria de Teakiyari, e Tsunetomo aprendeu diretamente com ele. Quando Sagara Kyuma foi promovido ao cargo de primeira ordenança, ele disse a Nabeshima Heizaemon: "Por um motivo que ignoro, o amo me concede cada vez mais confiança e acaba de nomear-me para um posto elevado. Não tendo pessoalmente nenhum servidor, receio que meus assuntos padeçam com isso. É por isso que lhes peço o favor de me mandarem como servidor Akase Jibuzaemon". Heizaemon o ouviu e respondeu: "Aceito, e para mim é uma honra que o senhor tenha se apegado ao meu servidor". Quando deu a notícia a Jibuzaemon, este lhe disse: "Penso que meu dever é levar pessoalmente minha resposta ao senhor Kyuma". Ele foi até sua casa, e teve uma entrevista com o senhor. "Penso que é uma grande honra ter sido sondado para ser seu servidor; um samurai, entretanto, não sabe mudar de amo. O senhor tem uma categoria elevada; eu ficaria lisonjeado se me tornasse seu servidor, porém ao mesmo tempo seria uma desonra. Heizaemon é de uma categoria inferior, a vida é difícil para ele; vivemos de sopa de arroz barato; é doce, entretanto. Peço-lhe que leve tudo isso em conta". Kyuma ficou muito impressionado com essa atitude.

Nakano Jinemon costumava dizer: "Um homem que serve ao seu daimyõ somente se for bem tratado, não é um samurai; o que serve quando o senhor é duro e irracional, este é um samurai. Vocês devem impregnar-se desse princípio."

Páginas: 104
Família Tipografia: Electra LT Std